Idee/Feltrinelli

Michael Walzer
Esodo
e rivoluzione

Feltrinelli

Titolo dell'opera originale
EXODUS AND REVOLUTION
© 1985 by Basic Books, Inc., New York

Traduzione dall'inglese di
MASSIMO D'ALESSANDRO

© Giangiacomo Feltrinelli Editore Milano
Prima edizione in "Idee" ottobre 1986

ISBN 88-07-09012-0

Prefazione

Questo libro tratta di un'idea assai diffusa e influente nel pensiero politico occidentale, l'idea della liberazione dalla sofferenza e dall'oppressione: la redenzione terrena, la libertà, la rivoluzione. Ho tentato di individuare le origini di questa idea nella storia dell'affrancamento di Israele dalla schiavitù in Egitto, e quindi di dare dell'Esodo, dei Numeri e del Deuteronomio una lettura atta a spiegare la loro importanza per molte generazioni di radicali politici e religiosi. La fuga dalla schiavitù, il viaggio nel deserto, l'alleanza del Sinai, la terra promessa sono immagini che ricorrono spesso nella letteratura della rivoluzione. Anzi, la rivoluzione è stata spesso immaginata come il compimento dell'Esodo e l'Esodo come un programma per la rivoluzione. Voglio rintracciare le origini e l'evoluzione di queste immagini perché esse, anche se non ci dicono tutta la verità, ci illuminano sia sui testi antichi sia su forme tipicamente moderne di azione politica. Per questo la mia trattazione si muove a salti, dalla narrazione biblica e dai suoi commentari più autorevoli ai trattati e agli opuscoli, agli slogan e alle canzoni della politica radicale. Si muove a salti da un campo di studi in cui sono un dilettante e un novizio a un campo di studi nel quale ho una certa esperienza professionale. Spero che l'entusiasmo del dilettante e la cautela del professionista possano in qualche modo bilanciarsi. Ma se sbaglio, la colpa sarà dell'entusiasmo. Penso infatti che ci sia ancora molto da imparare dallo studio attento dell'Esodo.

Non è mia intenzione fare la storia dell'idea di liberazione: è lo studio del suo significato che mi interessa, e il metodo migliore per giungere alla sua comprensione è imitare i molti attivisti e sostenitori della liberazione che hanno chiamato a raccolta i simpatizzanti per leggere la storia biblica insieme a loro. Leggere, spiegare e interpretare la storia: ogni nuova lettura è infatti una nuova costruzione, una riscoperta del passato ad uso del presente. Ma perché la storia dell'Esodo è stata tanto spesso rivisitata? Questo è quello che ho cercato di spiegare.

Le riscoperte sono in gran parte opera di uomini e donne religiosi che trovarono nel testo non solo il racconto delle azioni di Dio, ma anche una guida per il Suo popolo, ovvero per loro stessi. Forse si sbagliarono, ma non sta a me dirlo. Dentro la storia sacra dell'Esodo, essi scoprirono una storia secolare vivida e realistica che li aiutò a capire la loro stessa attività politica. Io ripeterò questa scoperta. Non voglio sottovalutare il sacro, ma solo esplorare il secolare: il soggetto del libro non è ciò che Dio ha fatto, ma ciò che hanno fatto gli uomini e le donne che si sono confrontati con il testo e che poi sono andati nel mondo con il testo in mano.

Ho lavorato quasi esclusivamente su libri in inglese. Sono in grado di districarmi nell'ebraico dei testi biblici, ma non in quello del Midrash o dei commentatori ebraici medievali. Fortunatamente gran parte di quel materiale è oggi tradotto, compresi l'intero *Midrash Rabbah*, il *Mekilta De-Rabbi Ishmael* (un commentatore sui capitoli dal 12 al 23 dell'Esodo), le note di Rashi sul testo biblico e i commentari di Nachmanides. Per il materiale non ancora tradotto, mi sono attenuto a *Legends of the Jews* di Louis Ginzberg e agli ottimi *Studies in Exodus, Studies in Numbers* e *Studies in Deuteronomy* di Nehama Leibowitz. Sicuramente molto materiale mi è sfuggito, non solo libri antichi e medievali, ma anche di studiosi israeliani contemporanei. Tuttavia a un certo punto avrei dovuto comunque mettere da parte le interpretazioni e rivolgermi direttamente al testo e ai suoi usi politici. In realtà ho iniziato questo lavoro molto tempo fa. Il brano che preparai per il mio *bar mitzvah* era infatti *Ki Tissa* (Esodo 30:11 - 34:35), che comprende la storia del vitello d'oro. Allora fui sconcertato, come molti dotti lettori prima di me, dall'ordine dato da Mosè di uccidere gli idolatri. Condivisi la posizione di Hobbes (come è spiegata in *Vite brevi di uomini eminenti* di Aubrey) e discussi con il mio insegnante della "crudeltà che dimostrava Mosè nel mettere a morte tante migliaia di persone". Voglio ora ritornare sull'argomento, con propositi più vasti.

Lessi per la prima volta il testo biblico nel 1948 con il rabbino Hayim Goren Perelmuter, un insegnante di intelligenza esemplare e dal contagioso entusiasmo; ancora mi ricordo le nostre discussioni che costituirono il punto di avvio di questo libro. La sua origine più vicina sono tre lezioni tenute nel 1983 al Gauss Seminar all'Università di Princeton, e sono grato a Joseph Frank, che presiedette il seminario, per l'incoraggiamento e l'appoggio.

Ho tenuto una seconda volta le lezioni alla City University of New York (con il patrocinio del Center for Jewish Studies) e una terza all'Indiana University nell'ambito delle Patten Lectures, e ho letto una versione del capitolo 2 all'University of Chicago e alla Hebrew University di Gerusalemme. In ognuna di queste occasioni si accesero discussioni molto utili; ho cercato di incorporare o di rispondere nel libro a molte obiezioni, specialmente a quelle sollevate da Marshall Berman, Theodore Draper, Jerrold Sieger e Bernard Yack.

The Nursing Father: Moses as a Political Leader di Aaron Wildavsky è apparso troppo tardi perché potessi citarlo nel libro; l'ho comunque letto e studiato sulle prime bozze. Ho attinto liberamente da due miei articoli sull'argomento pubblicati, il primo sulla "Harvard Theological Review", l'altro su "Mosaic" (entrambi del 1968).

Moshe Greenberg, David Hartman, Irving Howe, Seth Schein, Judith Walzer, Sally Walzer e Leon Wieseltier hanno letto e criticato in stadi differenti l'intero manoscritto dandomi numerosi consigli, alcuni dei quali sono stato abbastanza saggio da accettare. Ho scritto il libro all'Institute for Advanced Study i cui membri e la stessa facoltà sono stati una fonte fondamentale di idee, riferimenti e inviti alla cautela. Le lunghe passeggiate e le conversazioni con Allan Silver, che era nell'istituto nel 1982-83, contribuirono a dare al libro la sua forma presente. Lynda Emery batté e ribatté il manoscritto e se il testo è corretto grammaticalmente, è per merito suo: gli errori che restano sono quelli su cui ho insistito.

Negli ultimi anni, leggendo, discutendo, parlando dell'Esodo in questo paese e in Israele ho scoperto con gioia che la storia dell'Esodo, ai nostri tempi, è ancora un comune bagaglio culturale. Anche se ognuno ne dà una diversa interpretazione, è una storia che tutti condividiamo.

Princeton, New Jersey
agosto 1984

Introduzione: la storia dell'Esodo

I

Nei primi mesi del 1960 visitai un certo numero di città del sud degli Stati Uniti per scrivere sui sit-in degli studenti neri che avrebbero segnato, anche se allora lo ignoravo, l'inizio del radicalismo degli anni '60. A Montgomery, Alabama, in una piccola chiesa battista, ascoltai il sermone più straordinario che avessi mai ascoltato: l'argomento era il Libro dell'Esodo e la lotta politica dei neri del sud. Dal suo pulpito il predicatore, di cui ho da tempo dimenticato il nome, mimò l'uscita dall'Egitto e ne espose le analogie con il presente: piegò la schiena sotto la frusta, sfidò il Faraone, esitò timorosamente davanti al mare, accettò l'alleanza e la legge ai piedi della montagna.[1] Il sermone mi colpì particolarmente perché nel 1960, appena laureato, stavo scrivendo una dissertazione sulla rivoluzione puritana e avevo letto parecchie prediche in cui il Libro dell'Esodo figurava come testo centrale e veniva citato ripetutamente. In un lungo discorso per l'apertura della prima sessione del primo parlamento eletto durante il suo protettorato, Oliver Cromwell definì l'Esodo "l'unico parallelo dei rapporti di Dio con noi che io conosca al mondo ...". Il parallelo non era ancora completo: "Siamo giunti fin qui, per misericordia di Dio ...", disse Cromwell e mise in guardia contro la ricaduta nella schiavitù sotto il potere reale, che infatti seguì a poca distanza dalla sua morte quattro anni dopo.[2] Il predicatore di Montgomery sperava presumibilmente in un parallelo più duraturo, e io, che ne condividevo la speranza, decisi di scrivere sull'Esodo e sulla sua importanza politica. Da allora, senza sorprendermene, ho ritrovato l'Esodo un po' dappertutto, anche dove meno me l'aspettavo. Nella teologia o antiteologia comunista di Ernst Bloch, l'Esodo è centrale, è l'origine del "principio di speranza" ("Siamo giunti fin qui," disse Cromwell, "si è aperta una porta di speranza ...").[3] L'Esodo è il soggetto del libro di Lincoln Steffens *Moses in Red* pubblicato nel 1926, una difesa della politica leninista attraverso il racconto dettagliato delle lotte politiche di Israele nel deserto.[4] L'Esodo ha un ruolo fondamentale nella "teologia della liberazione" elaborata dai preti cattolici in America Latina. Negli anni '70 il lavoro più serio e duraturo sull'Esodo è stato fatto probabilmente in Argentina, Perù, Colombia. "Se prendiamo l'Esodo come nostro tema," scrisse il teologo argentino Severino Croatto, "lo facciamo perché in America Latina la teologia è un punto di riferimento ... e una luce inesauribile."[5] Ovunque sia conosciuta la Bibbia e vi sia oppressione, l'Esodo sorregge gli spiriti e (qualche volta) ispira la resistenza del popolo. Certamente la predica di Montgomery faceva parte di una lunga tradizione, che risale ai tempi della schiavitù e comprende non solo parole di speranza, ma anche di trionfo:

> Urla la lieta notiza sul
> grigio mare egiziano,
> Jehovah ha trionfato, il suo popolo è libero![6]

Ma nel 1960 non era libero, e il predicatore doveva ammettere che l'Esodo non era avvenuto una volta per tutte, che la liberazione non garantisce l'eterna libertà – un'idea che compare anche nelle prime interpretazioni ebraiche della storia dell'Esodo, nel Deuteronomio e nei Profeti. Il ritorno in Egitto, infatti, è un aspetto presente nella storia dell'Esodo, anche se, nel testo, solo come possibilità: per questo l'Esodo può essere rinarrato così spesso.

Tanto comune è il riferimento all'Esodo nella storia politica dell'Occidente (o almeno nella storia della protesta e delle aspirazioni radicali dell'Occidente), che cominciai a notare quando era assente – come negli anni della rivoluzione francese, quando i personaggi di spicco erano ostili alla concezione ebraica della storia almeno quanto lo erano a quella cristiana. Ostili, ma non ignoranti: quando un membro del Comitato di Pubblica Sicurezza annunciò che il Terrore sarebbe durato da "trenta a cinquant'anni" stava, a mio parere, facendo una allusione indiretta ai quarant'anni passati dagli Israeliti nel deserto (e anche alle ragioni a cui si attribuiva la lunga durata di un viaggio che avrebbe dovuto essere breve).[7] A ogni modo, il testo è un comune punto di riferimento sia prima che dopo il 1789. È in primo piano nei dibattiti medievali sulla legittimità delle guerre di crociata. È importante nel discorso politico del monaco Savonarola, che predicò ventidue sermoni sul Libro dell'Esodo nei mesi appena precedenti la sua caduta e la sua esecuzione. È citato negli opuscoli della rivolta contadina in Germania. Calvino e John Knox giustificarono le loro posizioni politiche più estreme citando l'Esodo. Il testo è alla base del contrattualismo dell'ugonotto *Vindiciae Contra Tyrannos* e poi dei Presbiteriani scozzesi.[8] È centrale, come ho già accennato, nella coscienza dei Puritani inglesi negli anni successivi al 1640 e nell'"errare nel deserto" degli Americani. È una fonte importante di idee e di simbolismo durante la Rivoluzione americana quando ha luogo su queste sponde la fondazione del "nuovo Israele di Dio". Nel 1776, Benjamin Franklin propose che il gran sigillo degli Stati Uniti mostrasse Mosè con il bastone alzato mentre l'esercito egiziano annegava in mare; Jefferson invece era per un'immagine più pacifica: la colonna degli Israeliti che marciava nel deserto guidata dalle colonne di fuoco e fumo di Dio.[9] La storia dell'Esodo rivive negli scritti del vecchio socialista Moses Hess, e compare, anche se in modo sporadico e marginale, negli scritti politici di Karl Marx. E naturalmente l'Esodo è sempre stato al centro del pensiero religioso ebraico ed è sempre stato il fulcro di ogni tentativo di fondare una politica ebraica, dalla rivolta maccabita al movimento sionista. Il sionismo è stato talora concepito in termini messianici; sia il sionismo che il messianismo derivano dal pensiero dell'Esodo e mantengono con esso un rapporto dialettico. Ma il sionismo è anche un appello a intendere l'Esodo in senso letterale – la fuga dall'oppressione e il viaggio alla terra promessa – e ha attinto molte sue immagini dal testo biblico. Non solo in questo caso, il nazionalismo ha trovato incoraggiamento in una promessa che sembrava includere, tra l'altro, l'idea di indipendenza politica. Il Libro dell'Esodo ebbe un grande significato per i Boeri nazionalisti ed è vivo oggi fra i nazionalisti neri del Sud Africa.[10]

Quando iniziai a lavorare a questo libro, molto tempo dopo la mia visita a Montgomery, la mia intenzione era di esaminare la storia politica del racconto dell'Esodo, di descrivere i modi in cui il racconto era stato usato, i propositi a cui era servito nel corso degli anni. Ma ora ho deciso di tentare qualcosa di più coraggioso e di proporre un'interpretazione più radicale di quella possibile in base a un semplice resoconto storico. Voglio raccontare l'Esodo come appare nella storia politica, leggere il testo alla luce delle sue interpretazioni, scoprirne il significato a partire da ciò che ha significato. La mia tesi è che gli usi che del testo sono stati fatti non sono violazioni o invenzioni e che è possibile interpretare plausibilmente l'Esodo, così come lo conosciamo, in chiave politica, in termini di liberazione e rivoluzione – nonostante che nel testo sia anche un atto di Dio. "Abbiamo prestato abbastanza attenzione," si chiede Croatto, "al fatto che la prima, esemplare liberazione, che rivela il Dio della salvezza, fu politica e sociale?"[11] Io spiegherò l'Esodo come paradigma della politica rivoluzionaria. Ma la parola "paradigma" deve essere intesa qui in senso lato: l'Esodo non è una teoria della rivoluzione, e non avrebbe molto senso cercare di costruire una teoria a partire dal racconto biblico. L'Esodo è una storia, una grande storia, che è divenuta parte della coscienza culturale dell'Occidente — tanto che una serie di eventi politici sono stati collocati e capiti all'interno della sua cornice narrativa. Questa storia ha reso possibile il racconto di altre storie.

Per quanto riguarda il testo originale, non avanzo ipotesi sulle intenzioni degli autori e dei compilatori, e non prendo posizioni sulla veridicità del racconto. Cosa accadde in realtà? Non lo sappiamo. Abbiamo a disposizione solo questa fonte, un racconto scritto molti secoli dopo gli eventi descritti. Ma la storia è più importante degli eventi, e la sua importanza è cresciuta sempre più perché è stata ripetuta, ci si è riflettuto sopra, è stata citata a difesa di molti argomenti, è stata rielaborata dal folklore. Forse questa era proprio l'intenzione degli autori: spesso infatti raccomandano la sua ripetizione. L'Esodo appartiene a un genere di testi religiosi e giuridici destinati alla lettura e alla rilettura pubblica e all'applicazione analogica. Gli autori di questi testi, chiunque essi siano, non possono pretendere di esercitare un controllo molto stretto sul loro significato. A meno che, naturalmente, l'autore non sia Dio, ma Dio ha ovviamente scelto di non esercitarlo e bisogna concludere, d'accordo con una corrente centrale dell'interpretazione ebraica, che Egli intenda tutti i significati che ci ha messo in grado di scoprire.[12] Io considererò solo uno di questi significati. Questo significato però — l'Esodo come rivoluzione — è stato per molti secoli di grande importanza nella letteratura interpretativa, ed è perfettamente fondato nelle parole testuali del Libro dell'Esodo e dei Numeri.

Qua e là vi sono nel testo che è giunto fino a noi passi oscuri e confusi, ma in generale l'abilità letteraria degli autori e dei compilatori finali ha prodotto un racconto di notevole coerenza. Il tentativo di alcuni studiosi moderni di sbrogliare le diverse tradizioni narrative, per identificare, all'interno del testo, frammenti più antichi e più recenti, non ha prodotto, a mio avviso, una maggiore comprensione della storia dell'Esodo e sicuramente non della storia come è stata letta e riletta, citata ed elaborata. Come ha scritto Northrop Frye, "[questo tentativo] non ha fatto nuova luce sul come e sul perché un poeta legga la Bibbia" — e non è di maggior aiuto al teorico della politica. [13] Certamente la tradizione dei commentatori e delle citazioni a cui mi riferirò ha frammentato il testo; ogni frase, ogni parola, essendo parola di Dio, è atta a essere interpretata separatamente. Questi frammenti, però, furono al tempo stesso concepiti come parte del tutto e se perdiamo di vista il tutto, molto spesso non riusciremo ad afferrare il significato più profondo delle interpretazioni.

Forse, tuttavia, dovremmo distinguere fra interpretazioni antiche e interpretazioni tarde e dare maggior valore alle prime, alle versioni degli autori del Deuteronomio e a quelle dei Profeti. Sembra imporsi in questo caso un principio di vicinanza, anche se va subito aggiunto che nemmeno gli antichi Profeti condividevano la realtà e la sensibilità dei primi narratori della storia dell'Esodo e neanche quella dei primi compilatori; essi potevano solo immaginarsi le esperienze descritte nel testo. E sarebbe d'altronde un errore sottovalutare i lettori più recenti – come Savonarola o Cromwell – che si avvicinarono al testo avendo in mente problemi loro. Avrebbero potuto servirsi di altri testi, ma scelsero questo, trovandovi una viva eco delle loro dottrine politiche, del loro realismo, della loro visione del futuro. Ci si potrà solo chiedere se la loro rilettura ha reso il testo più intelligibile e chiaro ai nostri occhi.

L'Esodo è il racconto dell'affrancamento e della liberazione espresso in termini religiosi, ma è anche un racconto storico, secolare, terreno. Cosa più importante, non è un racconto sovrannaturale, benché il miracolo ne faccia parte, ma realistico. Se tutta la storia fosse esclusivamente sovrannaturale, non avrebbe senso l'interpretazione che io propongo. Oppure sarei costretto a "intravedere" attraverso i miracoli un'ipotetica realtà umana – imitando i teologi contemporanei quando scrivono che l'enfasi biblica sull'intervento divino "è tipica del *linguaggio* religioso; non vuol dire che quello fu il modo in cui [l'Esodo] si svolse storicamente". Per loro il testo vuole dirci semplicemente che "un processo di liberazione con tutte le caratteristiche dell'evento politico può essere benissimo interpretato – anzi deve essere interpretato dalla coscienza cristiana – come il volere di Dio".[14] Questo non mi sembra il modo migliore di leggere la storia; molto meglio è cercare di capire dove l'intervento divino è decisivo e dove non lo è. In fondo, gli Israeliti non si ritrovano d'incanto nella terra promessa; non sono portati sulle "ali dell'aquila" di Esodo 19; devono marciare per giungervi e la marcia è piena di ostacoli, di crisi, di lotte, tutti descritti con realismo, e che richiedono decisioni non solo divine, ma anche umane. In un antico commentario rabbinico sull'Esodo, si citano le parole del famoso saggio Judah Ha-Nasi: "Attraverso la forza di Dio, Israele uscì dall'Egitto, perché è scritto: 'Con la forza della sua mano, il Signore ci trasse dall'Egitto'." Ma, continua il commentario, c'è un'altra interpretazione: "Con grande vigilanza Israele uscì d'Egitto, perché è scritto: 'E così dovrete mangiare [l'agnello pasquale], con i lombi cinti, le scarpe ai piedi e i bastoni in mano'."[15] Io propendo per la seconda interpretazione, anche se in questo caso forza il testo; ad ogni modo le due interpretazioni non sono contraddittorie. Molti uomini e donne che credono nell'onnipotenza di Dio si sono cinti i lombi, hanno sfidato i Faraoni del proprio tempo, hanno marciato nel deserto e compreso quello che facevano grazie alla lettura dell'Esodo. Ora anch'io cercherò di comprendere la storia che essi lessero e che si tramandarono.

II

La storia (intendo l'intera storia, non solo la parte compresa nel Libro dell'Esodo) è una narrazione classica, con un inizio, un centro e una conclusione: problema, lotta, soluzione – Egitto, deserto e terra promessa. I capitoli del mio libro riflettono questa semplice struttura, anche se io ho diviso la storia degli anni nel deserto, separando due momenti che in effetti sono strettamente connessi: le mormorazioni e l'alleanza. Ma prima di iniziare e di cercare di comprendere l'oppressione egiziana, devo dire alcune cose sul carattere e sulla forza dello sviluppo narrativo. Il movimento dall'inizio alla fine è la chiave dell'importanza storica del racconto dell'Esodo. La forza della narrazione è data dalla conclusione, ma è fondamentale che la fine sia già presente all'inizio come aspirazione, speranza, promessa. La promessa è ben diversa dalla realtà: la fine è ben diversa dall'inizio. Questo punto è ovvio, ma molto importante. L'Esodo non assomiglia alle antiche leggende di viaggi che, qualunque avventura comprendano, iniziano e terminano a casa. Non assomiglia al viaggio a Byblos in Fenicia del prete egiziano dell'undicesimo secolo Wen-Amon che, dopo molte difficoltà, ritornò al suo tempio di Karnak (anche se il racconto si interrompe mentre è in viaggio).[16] Né può essere paragonato a un'odissea, un lungo vagabondaggio, come quello raccontato da Omero, alla fine del quale attendono la moglie e il figlio (e il vecchio servitore e il cane fedele). Secondo la storia biblica, solo le ossa di Giuseppe ritornano a Canaan; per gli Israeliti vivi, la terra promessa è una nuova casa, dove non c'è nessuno a dar loro il benvenuto. Nella letteratura del mondo antico solo l'*Eneide* assomiglia, nella sua struttura narrativa, all'Esodo, con la descrizione di un viaggio storico e terreno, ma guidato dalla divinità, che aveva come meta qualcosa di simile a una terra promessa.[17] Ecco perché l'Eneide fu l'unico rivale dell'Esodo nelle discussioni sul gran sigillo americano. Ma Roma, anche se per Virgilio rappresentava "un nuovo ordine delle età", non è significativamente diversa da Troia: è solo più potente; mentre Canaan è l'esatto contrario dell'Egitto.

Quello degli Israeliti nel deserto non è, come spesso si dice, un vagabondaggio; l'Esodo è un viaggio in avanti – non solo nel tempo e nello spazio. È una marcia verso una meta, un progresso morale, una trasformazione. Gli uomini e le donne che giungono a Canaan sono, sia letteralmente sia metaforicamente, uomini e donne diversi da quelli partiti dall'Egitto. Il protagonista della marcia è il "popolo d'Israele", termine usato per la prima volta nel primo capitolo del Libro dell'Esodo. Il Genesi è una raccolta di storie che riguardano uomini e donne singoli; essi sono in gran parte membri di una stessa famiglia dal destino singolare, ma l'attenzione è focalizzata sugli individui. L'Esodo, invece, è la storia di un popolo e quindi non è solo un racconto, ma storia.[18]

Sebbene il ruolo di Mosè sia importante (sempre di meno nelle successive versioni), è il popolo ad avere il ruolo principale. L'importanza di Mosè, inoltre, non è personale, ma politica — come leader del popolo o mediatore fra il popolo e Dio — e questo perché siamo nel campo della storia *politica*: gli argomenti del Libro dell'Esodo sono la schiavitù e la libertà, la legge e la ribellione. Come la marcia, anche la storia ha una sua meta. Ha scrittto William Irwin: questa è "storia narrata da un certo punto di vista e con uno scopo ben preciso".[19] Lo scopo è insegnare l'importanza della marcia e la disciplina necessaria al suo successo.

Una storia politica rigidamente lineare, un deciso movimento in avanti: l'Esodo modella in modo definitivo la concezione ebraica del tempo; e, in ultima analisi, serve da modello, anche per le concezioni non ebraiche. È l'alternativa a tutte le concezioni mitiche dell'eterno ritorno — e perciò alla concezione ciclica del cambiamento politico, da cui deriva la nostra parola "rivoluzione". L'idea dell'eterno ritorno stabilisce una connessione fra il mondo naturale e la sfera sociale e impone alla vita politica la forma semplice e chiusa del cerchio: nascita, maturità, morte e rinascita. I medesimi eventi si ripetono senza fine; gli uomini e le donne e le loro azioni nel tempo perdono la propria singolarità; ognuna ne rappresenta un'altra in un sistema di corrispondenza che si estende verso l'alto, gerarchicamente fino al mitico regno della natura e degli dèi della natura. La narrazione biblica (e l'Esodo in particolare) è una decisa rottura con questo tipo di narrazione cosmologica.[20] Nell'Esodo gli eventi storici accadono solo una volta e traggono pieno significato da un sistema di interconnessioni fra il passato e il presente, e non dalle corrispondenze gerarchiche del mito.

Parliamo per un momento delle "mormorazioni", che riprenderò in esame dettagliatamente nel capitolo 2. Secondo una numerazione (in Num. 14:22) il popolo si lamentò, o forse si ribellò contro Mosè, in dieci occasioni, anche se non sempre la mormorazione inizia con la solita frase (usata per la prima volta in Esodo 15:24), "Allora il popolo mormorò contro Mosè ..." Penso che il numero dieci sia preso per uniformità con il numero delle piaghe e dei comandamenti. Le mormorazioni si svolgono secondo un copione ripetitivo e quasi stereotipato, eppure gli incidenti sono differenti fra loro e possono essere visti come una serie progressiva, o una doppia serie, culminante nella storia del vitello d'oro e ancora nella grande ribellione in Num. 14. "È probabile," scrive Martin Buber, "che alcuni episodi siano solo dei 'doppioni' e possano essere attribuiti a tradizioni diverse dello stesso episodio."[21] Sarà, ma gli episodi ripetitivi fanno avanzare la storia. In Esodo 15, per esempio, il popolo, dopo tre giorni di marcia dal Mar Rosso, arriva a Mara e trova che l'acqua è amara: "Allora il popolo mormorò contro Mosè e disse: Che cosa berremo?" Alcune settimane più tardi, a Rafidim di acqua non ce n'era per niente: "Allora il popolo se la prese con Mosè dicendo: Dacci dell'acqua da bere!" (Esodo 17:2). La parola ebraica tradotta con "se la prese" è *vayarev*, che sarebbe meglio tradurre con "si oppose" o "contrastò": il testo suggerisce una progressione di paura e rabbia parallela al crescere del pericolo. Il tema della paura del popolo — centrale nella storia dell'Esodo — non è solo ripetuto: è sviluppato e allargato.

Allo stesso modo si potrebbe dire che l'Egitto, o l'oppressione di tipo egiziano, ricorre molte volte nella storia di Israele. Ma il ricorso è sempre spiegato in termini morali e politici, mai cosmologici. Esso è il risultato di una ricaduta nel peccato lungo una linea temporale. Quando gli Israeliti scoprono di essere oppressi nella loro terra, è perché, come dice il profeta Geremia, "numerosi sono i loro peccati e frequenti le loro ribellioni" (5:6). L'oppressione non è determinata né inevitabile come possono esserlo il declino autunnale o la morte invernale; non è la ripetuta manifestazione di una pecca caratteriale; consegue da particolari scelte di persone determinate — da una mancanza di vigilanza morale, da un ostinato rifiuto di "ricordare" la casa di schiavitù e il giorno della liberazione, da una violazione dei comandamenti divini.

Il richiamo della storia dell'Esodo per molte generazioni di pensatori radicali sta nella sua linearità, nell'idea di una conclusione promessa, nell'intenzionalità della marcia. Il movimento nello spazio è interpretato come movimento da un regime politico a un altro. (Devo notare che la stessa interpretazione vale anche per il cambiamento personale: il racconto di un viaggio da una città terrena, attraverso il deserto del mondo, a un luogo chiamato Gerusalemme, nel *Pilgrim's Progress* di John Bunyan, è anche un racconto di auto-trasformazione.) Un cambiamento nello spazio è una metafora comune per un cambiamento del sistema sociale; una buona parte del linguaggio politico della sinistra ha origine da questa metafora — non solo gli urli di guerra "Marchons!" o "Avanti!" e la poesia di William Morris *Marcia dei Lavoratori*,[22]

Vennero dal dolore e dal tormento
e andarono verso la salute e la gioia

ma anche gli articoli e i saggi sul progresso, i partiti progressisti, le idee avanzate, le politiche d'avanguardia, la rivoluzione (nel suo senso corrente), i movimenti, come il "movimento dei lavoratori", un'espressione che non ha niente a che vedere, non più della poesia di Morris, con uno spostamento geografico ma che definisce l'organizzazione dei lavoratori per una politica radicale.

L'Esodo è un movimento nel senso letterale, un avanzamento nello spazio e nel tempo, la forma originaria (o la formula) della storia progressiva. Questa, lo dico subito, è una posizione revisionista che qui espongo, senza difenderla. Molto spesso gli studiosi rintracciano le origini della forte linearità nelle escatologie tardo-ebraiche e cristiane, nelle dottrine apocalittiche di Daniele e della Apocalisse.[23] Questi testi suggeriscono entrambi una storia cosmica, con un movimento dalla creazione alla redenzione, e una storia politica, con un movimento dalla tirannia terrena (ora identificata con un secondo Egitto: la Babilonia dell'esilio) al regno messianico. I due movimenti, e l'entusiasmo che generano in chi è in attesa della Fine, sono messi volentieri in contrasto con le posizioni più malinconiche di un filosofo storico come Crisippo o di uno storico politico come Polibio, per i quali il mondo si muove in cerchi fissi e nessun cambiamento può essere considerato un vero progresso.[24] In modo analogo si rintracciano i semi dell'idea di progresso diffusa durante i secoli XVIII e XIX nella rinascita del pensiero millenarista nel periodo tardo-medievale e all'inizio dell'età moderna (come reazione alla rinascita delle concezioni cicliche nel Rinascimento). La politica radicale del nostro tempo, che fa sua l'idea di progresso e la speranza di redenzione, è definita millenarismo secolare, messianismo politico ed è fatta risalire a Gioachino da Fiore e alle sette millenariste della Riforma.[25] In effetti è solo all'inizio dell'età moderna che la parola "rivoluzione" assume il significato che ha oggi: una trasformazione unilaterale e definitiva del mondo politico. Ma questa impostazione trascura uno stadio precedente dello sviluppo intellettuale e, cosa più importante, le concezioni alternative del cambiamento politico.

Il messianismo entra tardi nella storia ebraica e vi entra, io credo, tramite il pensiero dell'Esodo. Scrisse Saadya Gaon, filosofo del IX secolo: "Noi giudichiamo la promessa di redenzione finale dalla prima promessa, fin dal tempo in cui vivevamo esuli in Egitto."[26] La fine dei giorni non compare nel pensiero ebraico fino a qualche tempo dopo l'esilio babilonese, ma le speculazioni sulla fine risalgono, come suggerisce Saadya, al primo "esilio" in Egitto. La redenzione finale non è che la redenzione originaria in grande. È spesso preceduta, nelle versioni ebraiche, da un nuovo Esodo, un secondo Mosè, la ricomparsa della manna e così via.[27] Ora, tuttavia, la promessa divina è reinterpretata e assicura una "nuova terra e un nuovo cielo" invece della terra familiare di Canaan, e delizie ancora più grandi, se è possibile, del latte e miele. Anche il cristianesimo ha compiuto degli sforzi per far rientrare la storia messianica nello schema dell'Esodo. Gesù bambino è salvato dalla strage degli infanti, così da poter paragonare Gesù a un nuovo Mosè e Erode a un nuovo Faraone. E riappaiono gli stessi numeri: dodici sono gli apostoli come dodici erano le tribù di Israele, quaranta giorni nel deserto stanno per i quarant'anni. Ma l'Esodo ha anche una sua irriducibilità. Mosè, dopo tutto, non è un Messia, ma un leader politico che riesce a portare gli Israeliti fuori dall'Egitto, anche se non fino alla terra promessa. E la terra promessa non è la stessa cosa del regno messianico (non almeno come lo si intende comunemente): la differenza fra i due è uno degli argomenti centrali del capitolo 4. Per il pensiero messianico e millenarista, l'Esodo è un modello ma è anche una alternativa – con la sua concezione storica e secolare della "redenzione" che non richiede la trasformazione miracolosa del mondo materiale ma che assicura al popolo di Israele in marcia per il mondo un luogo migliore dove vivere. Non è quindi un caso che Oliver Cromwell, nello stesso discorso in cui invoca l'Esodo come unico parallelo nella storia terrena dell'atteggiamento di Dio verso gli Inglesi, rompa decisamente con la politica visionaria della Quinta Monarchia (il regno di Re Gesù). Cromwell capì che la marcia nel deserto non richiedeva altro che un leader, come lui.

La marcia non è ultraterrena; il leader è solo un uomo – un uomo limitato, che ha bisogno che Aronne parli (e Miriam canti) in nome suo. Più tardi avrà bisogno dei "capi di migliaia, e capi di centinaia e capi di cinquantine, e capi di decine" la cui nomina è consigliata da Jetro: "è un compito troppo grave per te e non puoi resistere da solo" (Esodo 18:18, 21). Nessuno ha mai descritto in questi termini il messia il quale, qualunque cosa decida di fare, la farà senza consiglieri politici. L'Esodo è un evento tagliato a misura d'uomo, che riecheggia non solo nella letteratura del millennio, ma anche nella letteratura storica e politica. Se prestiamo attenzione all'"eco" possiamo "sentire" l'Esodo come una storia di speranze radicali e di impegno terreno.

1. La casa di schiavitù: schiavi in Egitto

I

La forza della storia dell'Esodo sta nella sua conclusione: la promessa divina. È anche vero, però, che è l'inizio della storia a dare valore e significato alla conclusione. Canaan è una terra promessa perché l'Egitto è una casa di schiavitù. Fra l'inizio e la conclusione esiste un rapporto di necessità. L'Esodo non è una scappatoia dalla sventura. La sventura ha un carattere morale e la fuga un significato storico universale. L'Egitto non solo è lasciato alle spalle, è anche rifiutato, giudicato e condannato. I termini fondamentali del giudizio sono *oppressione* e *corruzione*, e io li esaminerò uno alla volta. Devo però subito sottolineare che è la promessa a rendere possibile il giudizio; la sua forza morale richiede almeno l'idea di una vita che non sia né opprimente né corrotta. La promessa di Dio genera un senso di possibilità (sarebbe avventato, dato il timore degli schiavi israeliti, dire che generi un senso di sicurezza): l'Egitto non è tutto il mondo. Senza questo senso di possibilità, l'oppressione sarebbe sentita come una condizione inevitabile, una questione di destino personale o collettivo, un rovescio di fortuna. Naturalmente è possibile, da un punto di vista religioso, giudicare il mondo intero e trovarlo oppressivo e corrotto: il mondo di Satana. Ma il Faraone non è Satana, e il giudizio biblico non è di questo tipo. La sua qualità morale dipende dall'esistenza di alternative immediate. Rabbia e speranza, non rassegnazione, sono le risposte appropriate alla schiavitù egiziana.

Con un paragone potrò spiegare meglio questo punto. Le *Troiane* di Euripide forniscono un utile contrappunto alla storia dell'Esodo descrivendo una "fuga" non verso la libertà, ma verso la schiavitù. Così parla Ecuba alla fine del dramma:

> Forza vecchi piedi tremanti,
> non dovete abbandonarmi proprio ora.
> Quella è la vostra strada: avanti fino alla schiavitù. [1]

Le donne sono state abbandonate dagli dei della loro città. Per loro, nessuna promessa. "Io non ho nemmeno il comune e umano conforto della speranza," dice Andromaca; "il dolce sogno di una felicità futura non mi può illudere." [2] Senza illusioni, le donne attendono con fermezza (e piangono) il loro destino. La schiavitù è la naturale conseguenza della sconfitta; i Greci esultano, le donne versano lacrime: ognuno si comporta nel modo previsto.

Euripide non dà giudizi morali, almeno per quanto riguarda la schiavitù delle donne. Il sentimento che intende risvegliare è la pietà, non la rabbia o l'indignazione. Ci invita, forse, a adirarci di fronte ai singoli atti crudeli: l'uccisione della figlia di Ecuba e del figlio di Andromaca (e di Ettore). Ma nei confronti di tutte le donne, e soprattutto delle nobili per le quali la schiavitù è un tormento dell'anima, è la pietà che intende suscitare nel lettore. Per l'aristocratico la perdita della libertà è il "culmine della disgrazia," come scrive uno storico moderno, e anche, mischiando le sue metafore, "un'improvvisa caduta nel vuoto." [3] Euripide vuole ricordare ai suoi contemporanei, che da poco avevano fatto schiave le donne di Melos, quanto improvvisa possa essere la caduta. Nella sua descrizione, la schiavitù è sicuramente opprimente, ma non ingiusta. Opprimente come una giornata estiva troppo calda e umida, infinitamente peggiore naturalmente, ma tuttavia qualcosa di simile. La schiavitù, come riporta il dizionario, "opprime, schiaccia, distrugge i sentimenti, la mente, lo spirito ..." [4] Questo è l'argomento del dramma; quello a cui Euripide ha dato voce è il lungo lamento delle donne troiane.

Qualche volta, nel tono, il linguaggio dell'Esodo è simile. La schiavitù è descritta nei primi capitoli del libro come una "afflizione", un "fardello", una "pena". Ovviamente gli Israeliti trovavano la schiavitù oppressiva, esattamente come i Greci, i quali trovavano oppressive anche le guerre e le malattie, gli assedi e le febbri; i Greci facevano molto uso della parola *piezein*, derivata (come la parola ebraica *lachatz*) da una radice che significa "schiacciare giù", in senso non morale. Nella letteratura ateniese del V e IV secolo a.C., per quanto ne sappia, la parola è normalmente usata nella forma passiva e sempre accompagnata da un complemento d'agente: "oppresso dalla guerra," "oppresso dalla febbre." [5] Nella Bibbia, al contrario, se ne fa un uso attivo e personale. È fondamentale nella storia dell'Esodo ed esplicita nel testo l'oppressione dei figli di Israele da parte del Faraone e dei suoi sorveglianti. "Ho veduto," dice Dio a Mosè, "l'oppressione che gli Egiziani fanno loro soffrire" (Esodo 3.9). Il dizionario cita entrambe le definizioni, impersonale e personale, passiva e attiva, ma è il secondo significato che ha avuto tanta importanza nella storia politica dell'Occidente: "dominare per mezzo di un potere tirannico, opprimere ... con crudeli o ingiuste imposizioni o restrizioni". [6]

Forse dovrei usare maggiore cautela. Il Faraone non è mai definito esplicitamente tiranno nel libro dell'Esodo, anche se da allora in poi è sempre stato indicato nella letteratura ebraica come il primo dei tiranni. I moniti sui pericoli del potere assoluto in Deuteronomio 17 e in 1 Samuele 8 sono ovviamente ricordi dell'Egitto del Faraone. E non è definita ingiusta (ma semmai crudele) l'oppressione degli Israeliti. Una delle parole ebraiche che talvolta è tradotta con "oppressione" (*ani*, anche, e meglio, tradotta con "afflizione") esprime miseria e dolore più che ingiusta offesa. Eppure l'ingiustizia della schiavitù di Israele è sicuramente l'argomento del testo, che comunque così è stato letto fin dai primi tempi. I commentatori osservano di solito che quando Mosè uccise il sorvegliante egiziano, fece bene: punì un malfattore. Alcuni rabbini pensavano che la punizione fosse stata eccessiva per il sorvegliante, colpevole non di avere ucciso, ma solo percosso uno schiavo israelita; ma anch'essi erano del parere, come gli altri, che l'ira di Mosè fosse giustificata. [7] Opporsi all'oppressione era giusto. Una buona parte del codice morale della Torah trova la sua spiegazione e la sua giustificazione nell'opposizione alla crudeltà degli Egiziani. Agli Israeliti si ordina di comportarsi in modo giusto, ovvero diversamente da come si comportano gli Egiziani; e il movente delle loro azioni deve essere la memoria delle ingiustizie subite dagli antenati in Egitto, ricordo ancora doloroso.

Il nuovo regime è definito in contrapposizione al vecchio. Non solo questo nuovo regime, la comunità fondata da Mosè: da qui, per certi versi, nasce e si sviluppa il linguaggio della rivoluzione politica in generale (e del messianismo religioso). L'oppressione assume il significato morale che d'ora in poi avrà nel mondo giudaico-cristiano. Si afferma decisamente la possibilità dell'affrancamento e della redenzione. La parola "redenzione" deriva, in ebraico come in inglese, da un termine legale che significa "ricomprare" — in questo caso, la libertà di uno schiavo. Il sostantivo ebraico tradotto con "affrancamento" deriva dal verbo "andare fuori". Ma solo se si "va fuori" dall'Egitto (non, per esempio, da Troia) ci si può "affrancare". Intorno al 1640, in Inghilterra, la parola "affrancamento" (*deliverance*) aveva più o meno lo stesso significato che oggi si dà a "liberazione" (*liberation*): le due parole sono strettamente legate e, come "redenzione", traggono il loro vero significato dall'esperienza della schiavitù. Quando gli iloti spartani, per esempio, le cui condizioni per un certo verso erano

23

simili a quelle degli Israeliti in Egitto, si ribellarono ai loro padroni, sicuramente volevano la libertà. [8] Noi però non sappiamo che uso abbiano fatto della libertà quando infine la ottennero, con l'aiuto dei Tebani, nel 371 a.C. Si "ricordarono" della schiavitù quando celebrarono l'affrancamento? Forgiarono una politica nuova alla luce di quel ricordo? Probabilmente no, perché la schiavitù era, nell'antica Grecia, una condizione umiliante e vergognosa, e gli schiavi di un tempo cercavano nella maggior parte dei casi di sfuggire al loro passato, di dimenticare piuttosto che di ricordare. In ogni caso non sappiamo nulla del concetto di affrancamento fra gli iloti; né quel concetto sembra aver avuto alcuna ulteriore influenza; al contrario è possibile tracciare una storia senza soluzione di continuità dall'Esodo fino alla politica radicale dei nostri tempi.

II

Non è questo, tuttavia, il mio programma; vorrei invece focalizzare la mia attenzione su ciò che accadde in Egitto. Quale era la natura dell'oppressione? Certamente non era la vera schiavitù che riduce lo schiavo a un bene mobile. Gli Israeliti, in Egitto, non erano comprati e venduti; e la schiavitù, in questo senso, non fu proibita, sebbene sia stata regolata rigorosamente, dal codice morale che risulta dall'esperienza dell'Esodo. Sarebbe più esatto dire che gli Ebrei erano in un primo tempo ospiti in Egitto, poi ospiti lavoratori, e poi schiavi dello Stato soggetti a una specie di *corvée*. Molti Egiziani erano assoggettati in modo analogo; per questo l'Egitto era chiamato "la casa di schiavitù" (letteralmente: la casa degli schiavi). A quali aspetti della "casa di schiavitù" diamo maggiore risalto quando la definiamo "tirannica"? Quali erano, in modo specifico, le sue ingiuste imposizioni? Perché lo schiavismo degli Egiziani divenne la forma originaria e l'archetipo dell'oppressione?

La più facile lettura moderna del primo capitolo del Libro dell'Esodo è di carattere socio-economico; siamo abituati a concepire in questi termini l'oppressione. Lincoln Steffens fornisce un esempio di questo atteggiamento quando definisce Mosè un "leale dirigente sindacale". [9] Un prete latino-americano descrive le sofferenze degli Israeliti in Egitto sotto quattro aspetti: repressione, lavoro alienato, umiliazione e controllo forzato delle nascite. [10] L'ultimo punto penso si riferisca a una storia midrascica secondo la quale gli schiavi, esausti dopo una giornata così lunga e faticosa, non avevano la forza di tornare di notte dalle loro mogli e si addormentavano sui posti di lavoro. [11] Potrebbe però anche riferirsi, sebbene l'eufemismo appaia bizzarro per un teologo della liberazione, all'ordine dato dal Faraone alle levatrici di uccidere tutti i neonati maschi israeliti. Questo si chiama infanticidio, non controllo delle nascite; lo scopo era di eliminare l'intero popolo di Israele attraverso la distruzione della discendenza maschile per lasciare una popolazione femminile di schiave da distribuire tra le famiglie egiziane. Non mi dilungherò oltre su questo aspetto della politica del Faraone. Gli Ebrei l'hanno visto come il primo di una serie di attentati contro il loro popolo culminati nei campi di sterminio nazisti. In effetti, il Faraone oppressore stranamente ricorda un moderno antisemita quando si preoccupa (Esodo 1:10) del crescente potere degli Israeliti, che in Egitto prosperano, e della loro possibile infedeltà: "che non abbiano a unirsi ai nostri nemici ..." Nelle prime discussioni sulla storia dell'Esodo, nel Deuteronomio e nei Profeti, però, non figura l'uccisione dei figli, che ha avuto poco rilievo anche nelle concezioni non ebraiche della schiavitù egiziana – almeno fino a quando i preti cattolici non hanno incominciato a interessarsi al problema della liberazione. Questa parte della storia, inoltre, non spiega il persistente desiderio degli Israeliti di far ritorno in Egitto. Si può certamente avere nostalgia del proprio tiranno, ma non dell'assassino dei propri figli.

La tradizione centrale concentra l'attenzione sulla *corvée*, e non sul tentato genocidio. "Amareggiando la loro vita e impiegandoli in duri lavori di calce e mattoni e in ogni sorta di fatiche dei campi: tutti lavori a cui li assoggettavano con asprezza" (Esodo 1:14). La parola ebraica tradotta con "asprezza" è *be-farech*, e si ritrova solamente una volta nella Torah, in Levitico 25, là dove sono stabilite le leggi per il trattamento degli schiavi in Israele: "Non comandar loro con asprezza," ovvero, non fare come gli Egiziani. Molti anni più tardi Maimonide estese a tutti gli schiavi una protezione di questo tipo e al tempo stesso offrí una definizione di *be-farech*. Impiego "aspro" è quello in cui non esistono limiti di tempo o di compiti. [12] La schiavitù comporta il lavoro senza fine; per questo esaurisce e degrada lo schiavo. Nel XVI secolo, l'autore del *Vindiciae* è del medesimo punto di vista: il tiranno "erige vani e inutili monumenti per impiegare in modo continuativo i popoli asserviti, come il Faraone faceva con gli Ebrei, mentre essi vorrebbero avere il tempo per poter pensare ad altre cose ..." [13] Forse proprio a causa del comportamento del Farone, le leggi bibliche stabiliscono che l'asservimento debba essere limitato nel tempo, anche se questa è una regola che si applica solo agli schiavi israeliti: "Se tu comprerai un servo ebreo ti servirà per sei anni; ma al settimo anno se ne andrà libero, senza pagare nulla"(Esodo 21:2). Non sappiamo se questa legge sia mai stata applicata, ma certo non fu dimenticata. Il profeta Geremia imputò la caduta della Giudea e l'esilio babilonese al rifiuto di "proclamare l'affrancamento", dopo sei anni, degli schiavi ebrei e di popolazioni vicine, secondo l'impegno che gli Israeliti avevano preso quando Dio li fece fuggire dall'Egitto (Esodo 34:8-23).

Probabilmente la libertà del settimo giorno – concessione meno impegnativa – fu accettata più spesso della libertà del settimo anno. Nel Deuteronomio, la ragione data per l'instaurazione del Sabbath è che "il tuo schiavo e la tua schiava possano riposarsi al pari di te. Ricordati che tu sei stato schiavo in Egitto" (Deut. 5:14; vedi anche Esodo 23:12). Questo comandamento vale per tutti gli schiavi, non solo israeliti, ma anche "stranieri". Si basa, non c'è dubbio, su una precisa idea dei bisogni fisici e spirituali, ma anche sul ricordo del carattere degradante dell'"aspra" schiavitù. Lavoro alienato e umiliazione definiscono almeno un aspetto dell'oppressività della schiavitù egiziana.

È possibile, in alternativa, intendere *be-farech* nel senso di crudeltà fisica. Anche qui le leggi proclamate subito dopo la fuga dall'Egitto, dove gli Israeliti erano picchiati e uccisi, sembrano porsi il proposito di bandire il tipo di trattamento oppressivo subito in Egitto: "se uno percuote il suo servo o la sua serva col bastone, sì che gli muoia sotto la mano, sia severamente punito" (Esodo 21:20). Il padrone che uccide un suo schiavo non è "messo a morte" come nel caso di un comune omicidio (vedi 21:12) e dunque non si ha esattamente ciò che Ephraim Urbach definisce "assoluta eguaglianza fra gli schiavi e gli uomini liberi riguardo alla salvaguardia giuridica delle loro vite ..." Tuttavia la protezione stabilita dalle proibizioni del libro dell'Esodo "non ha paralleli né nella legge romana né in quella greca".[14] Inoltre se uno schiavo subiva una ferita da parte del padrone, doveva essere messo subito in libertà (21:26-27). Di nuovo non sappiamo se queste leggi fossero effettivamente applicate, e in quale misura, durante le diverse fasi della storia d'Israele. Sono tuttavia le leggi dell'Esodo e presumibilmente esprimono la comprensione degli Israeliti delle sofferenze che essi stessi patirono in Egitto.

Ancor più oppressiva pareva la schiavitù egiziana perché gli Israeliti, o almeno così pensavano, non erano schiavi legittimi. Non erano stati catturati in guerra né si erano venduti. Come ho già detto, erano un popolo ospite e perciò lavoratori stranieri. Questa fu la grande ingiustizia commessa dagli Egiziani, secondo il filosofo Filone: essi fecero schiavi "uomini che non solo erano liberi, ma anche ospiti [e] supplici ..."[15] Una vecchia leggenda, ripresa nel Midrash, racconta che gli Israeliti ricevevano da principio una paga per il loro lavoro nelle città mercato di Pithom e Raamses. In un secondo tempo la paga non fu più data e essi furono costretti a lavorare ugualmente.[16] Un'oscura memoria di questa esperienza, oppure una sua elaborazione attraverso gli anni, sembra essere il fondamento della legge delle paghe del Deuteronomio:

> Non defraudare il mercenario povero e bisognoso, sia egli uno dei tuoi fratelli o uno dei forestieri, che abitano nel tuo paese, dentro la tua città. Pagagli il suo salario giorno per giorno, e non tramonti il sole prima che tu gliel'abbia dato. [Poi, dopo altri due comandamenti] Ricordati che tu sei stato schiavo in Egitto (24:14-15,18).

La legge parla al singolare, ma fu di grande importanza nell'esperienza degli Israeliti in Egitto il non essere stati fatti schiavi a uno a uno, ma tutti assieme. Divennero "poveri e bisognosi" perché erano stranieri in quella terra. Dipendenti da una protezione politica, essi si trovarono indifesi quando la protezione venne improvvisamente a mancare. Non erano vittime del mercato, ma dello Stato, della monarchia assoluta dei Faraoni. Da qui proviene l'ammonimento di Samuele agli anziani di Israele perché si astenessero dall'eleggere un re tenendo a mente l'esperienza dell'Esodo: "Prenderà ... i giovani migliori ... e li metterà al lavoro ... voi stessi diventerete suoi schiavi" (1 Sam. 14-17). In altre parole, sotto un re assoluto l'intera popolazione avrebbe fatto la fine degli stranieri in Egitto.

La schiavitù egiziana fu l'asservimento di un intero popolo al potere arbitrario dello Stato. La forma di schiavitù che considera lo schiavo un bene mobile era presumibilmente più accettabile, perché era una condizione governata da norme legali. Nella "casa degli schiavi" non esistevano regole. Gli Israeliti erano soggetti a una schiavitù senza limiti – senza riposo, senza ricompensa, senza freno, senza un obiettivo che potessero fare proprio. In Egitto la schiavitù era una specie di dominio politico. Naturalmente il Faraone traeva profitto dal lavoro degli schiavi Israeliti, ma non fu questo il motivo per il quale li ridusse in schiavitù. Gli schiavi erano sfruttati, come lo sono tutti gli schiavi, ma secondo la Bibbia erano soprattutto oppressi, comandati tirannicamente, trattati con crudeltà. È col suo parlare contro la tirannia che la tradizione dell'Esodo ispira le prediche di Savonarola, gli opuscoli di John Milton, i sermoni americani contro il "Faraone britannico." [17]

La forma della tirannia era, certo, il duro lavoro e per questo, ancora, la storia invita a una lettura in chiave sociale ed economica. Non si può tracciare in questo caso la netta linea di demarcazione, tracciata da Hannah Arendt nel suo libro sulla rivoluzione, fra tirannia e miseria, fra questione politica e questione sociale. [18] La storia dell'Esodo le abbraccia entrambe. Nelle riletture della storia dell'Esodo, spesso e volentieri il popolo di Israele è paragonato a una classe oppressa. Il livellatore John Lilburne, in un suo opuscolo pubblicato a Londra nel 1645, sostiene che il paragone non è un'interpretazione moderna o addirittura errata del testo:

Ma qualcuno dirà che la nostra schiavitù non è proprio così cattiva, se paragonata a quella in Egitto, giacché tutti gli Israeliti erano schiavi sotto gli Egiziani, mentre molti di noi schiavi non sono; concedo e ammetto che ben pochi dei nostri uomini illustri e di valore lavorino con la calce e i mattoni; ma tutto o gran parte del peso del duro lavoro è così lasciato ai più poveri ... [19]

Il comandamento del Deuteronomio riguardo al "povero bisognoso" afferma qualcosa di simile: come l'Inghilterra di Lilburne, la terra promessa crea i propri oppressori – "i *nostri* uomini illustri e di valore," anche se non sono egiziani. Ma gli autori biblici non alludono a una realtà sociale generale. Gli unici gruppi che conoscono sono etnici e politici, e l'Esodo è prima di tutto il racconto della oppressione di un gruppo a opera di un feroce sovrano in una terra straniera. Per questo l'Esodo è più spesso invocato in difesa del forestiero che dello schiavo: "Non opprimere il forestiero; perché voi conoscete già lo stato d'animo [*nefesh*: spirito o sentimenti] del forestiero, essendo stati anche voi stranieri nella terra d'Egitto" (Esodo 23:9). Si capisce perché la storia dell'Esodo ebbe tanto significato per gli schiavi africani nel sud degli Stati Uniti. Nonostante fossero veri e propri schiavi essi avevano anche la coscienza di appartenere a un popolo di forestieri in terra straniera e di condividere un unico destino. A causa del suo carattere collettivo la schiavitù in Egitto è paradigmatica per la politica abolizionista e per la politica radicale in generale. È l'invito a una risposta collettiva, a cercare non più l'affrancamento individuale – il fine comune agli schiavi greci e romani – ma la liberazione.

Si può intendere l'Esodo come un esempio di quella che oggi si chiama "liberazione nazionale". Tutto il popolo è schiavo e tutto il popolo viene affrancato. Nello stesso tempo, tuttavia, l'uso che dell'Esodo è stato fatto nella storia di Israele – prima nella legislazione e poi nelle profezie – sta ad indicare che il modello egiziano si può applicare a ogni sorta di oppressione e di liberazione. Forse il punto cruciale è il legame fra oppressione e potere statale: "L'oppressione in Egitto," come dice Croatto, "è di ordine *politico* ... [essa è] esercitata dal potere politico."[20] Per questo la fuga dalla schiavitù è anche la sconfitta del tiranno – e la fuga è resa possibile solo dalla sua sconfitta. La tirannia è simboleggiata dai cavalli e dai carri del Faraone, il nucleo della sua armata e l'origine del suo potere (il simbolismo ricorre in tutta la Bibbia).[21] Il signore della casa degli schiavi è anche un arrogante capo militare, e così è raffigurato nella canzone trionfale che gli Israeliti cantano dopo aver attraversato il Mar Rosso:

> Disse il nemico: Inseguirò, raggiungerò, spartirò la preda, ne sarà sazia l'anima mia; sguainerò la mia spada, la mia mano li sterminerà (Esodo 15:9).

Ma Dio è un guerriero più grande, e il tiranno è sconfitto: "cavallo e cavalieri ha travolti nel mare". È il momento della liberazione. La proposta di Benjamin Franklin per il grande sigillo rispecchia il senso politico del testo. Franklin forzò tuttavia il testo quando propose la frase: "la resistenza al tiranno è obbedienza a Dio".

Nella storia dell'Esodo, per motivi che analizzerò nel prossimo capitolo, gli Israeliti non combattono in prima persona contro il Faraone. È Dio, da solo, a distruggere i carri egiziani. L'invito alla resistenza contro i tiranni è tuttavia un'interpretazione ricorrente del testo; non si tratta, per essere precisi, di obbedire Dio, ma di imitarlo.

III

La schiavitù e l'oppressione sono le idee chiave della storia dell'Esodo, ma l'analisi di queste idee non esaurisce il significato dell'Egitto. Nessun vecchio regime è meramente oppressivo; anzi, ha sempre qualcosa di attraente. Se non lo avesse, la fuga non sarebbe così ardua. Le attrattative dell'Egitto non sono descritte molto chiaramente, ma devono necessariamente figurare nelle interpretazioni del testo, nei tentativi di spiegare una narrazione spesso enigmatica. Un ottimo punto di avvio è un famoso passo del capitolo 16 del Libro dell'Esodo. Gli Israeliti erano nel deserto da quarantacinque giorni.

> E tutta la comunità dei figli di Israele mormorò contro Mosè e contro Aronne ... E i figli di Israele dissero loro: "Oh, fossimo periti per mano del Signore, nel paese d'Egitto, quando sedevamo dinanzi alle pentole di carne, quando mangiavamo pane a sazietà ..."(16:2-3)

Lessi per la prima volta questo brano molti anni or sono, quando ero molto giovane, e concentrai la mia attenzione, come farò ora, su quella straordinaria espressione "pentole di carne" *(fleshpots)*. Fui colpito, lo confesso, più dalla prima parte della parola che dalla seconda; anzi, non mi sembra di aver prestato nessuna attenzione alla seconda. Prima di iniziare questo libro non ero riuscito a capire esattamente cosa fossero le pentole di carne. Pensavo a un oggetto prosaico, a una pentola per cucinare la carne. Anche oggi negli Stati Uniti molti di noi siedono dinanzi alle pentole di carne. Ma la mia adolescenziale preoccupazione per la carne mi mise in guardia, anche perché per gran parte della storia umana la carne è stata il cibo dei privilegiati. "Pentole di carne" al plurale non si riferisce a un gran numero di pentole, ma ai piaceri sensuali e al lusso. Non so se la parola avesse questo significato per gli autori e i compilatori del Libro dell'Esodo, o se lo assunse in seguito grazie all'uso che essi ne fecero. [22] In entrambi i casi si può concludere che la casa di schiavitù, agli occhi dei suoi ex abitanti, era anche una terra di abbondanza.

Questa divenne l'interpretazione comune; generazioni di riformatori hanno inveito contro il lusso egiziano. Ernst Bloch giudica il lusso smodato e di cattivo gusto, specchio della moderna cultura consumistica: "Egitto mammut ... prodotto fasullo e simbolo di quello a cui il mondo è arrivato."[23] Per Savonarola le "vanità" fiorentine non erano che una ripetizione dei lussi egiziani. Nelle sue prediche sull'Esodo, insistette sulla vita ricca e lasciva degli Egiziani; la terra promessa, la nuova società, sarebbe stata diversa.[24] La letteratura storica e interpretativa ebraica seguì una linea simile. Un commentario rabbinico sostiene, contro il significato apparente del testo, che quando il Faraone diede il suo ordine alle levatrici, egli era "tanto interessato alla salvezza delle neonate quanto allo sterminio dei maschi. [Gli Egiziani] erano molto sensuali e desiderosi di avere un maggior numero di donne al loro servizio."[25] Giuseppe Flavio non si discosta da questa posizione nel suo *Antichità giudaiche*: "Gli Egiziani amano la raffinatezza e odiano la fatica, e sono dediti solo ai loro piaceri ..."[26] Le note di disapprovazione che risuonano in questi brani mancano del tutto nel rimpianto del popolo per le pentole di carne (anche se non, naturalmente, nei commenti del narratore o nella risposta di Mosè: "Le vostre mormorazioni non sono contro di noi, ma contro il Signore"). La disapprovazione è ancora più forte nel Levitico e nel Deuteronomio e poi nei Profeti. "Non fate quello che si pratica in Egitto, dove avete dimorato" (Lev. 18:3). L'antico giudaismo è caratterizzato non solo dal rifiuto della schiavitù, ma anche dal rifiuto della cultura egiziana: dei costumi delle classi alte, del modo in cui mangiavano e bevevano, del loro abbigliamento e delle loro abitudini domestiche, di come si divertivano, di come veneravano i loro dei, di come seppellivano i morti.

La reazione degli Israeliti al lusso è descritta in genere come la risposta di un popolo nomade alla civiltà urbana.[27] E di questo si deve esser trattato, almeno in parte. Una sorta di puritanesimo del deserto sopravvisse per molti secoli, anche quando gli Israeliti si furono sistemati nella terra promessa. Così Geremia riassume la dottrina della setta dei Recabiti:

> Non berremo vino, perché Jonadab, figlio di Recab, padre nostro, ci dette quest'ordine: Non berrete mai vino né voi né i vostri figli; non fabbricherete case, non seminerete, non pianterete vigne e non avrete possessi, ma per tutto il tempo della vostra vita abiterete sotto le tende (Geremia 35:6-7).

I Recabiti presumibilmente mangiavano carne – la manna quotidiana si era esaurita ormai da lungo tempo – ma rifiutavano i lussi della vita urbana da un punto di vista che era decisamente quello del nomade. Erano fedeli a quel Dio che aveva rifiutato sdegnosamente l'offerta di David di costruire un tempio: "Sarai forse tu che mi edificherai una casa, perché vi abiti? Io non ho dimorato in nessuna casa, dal giorno in cui trassi i figli di Israele dall'Egitto ... ma sono andato vagando sotto una tenda e sotto un padiglione" (2 Sam. 7:5-6).

L'esempio dei Recabiti, tuttavia, non vale per tutto il popolo di Israele; i più non sognavano l'austerità, ma latte e miele. Per certo, quando gli Israeliti celebravano la liberazione, mangiavano il pane azzimo, "il pane del dolore", il pane degli schiavi, e questo per esprimere (secondo un commentario moderno sulla Hagaddah, il libro di preghiere per l'osservanza familiare della Pasqua) "la volontà di scampare dall'indulgenza e dall'arroganza ... e la vita semplice e integra di un servo di Dio".[28] Mangiavano però il pane azzimo, come gli Ebrei fanno ancor oggi, a un banchetto festivo, accompagnandolo col vino. "Ricordavano" l'esperienza dell'oppressione mentre gustavano i piaceri della libertà. La nuova condizione non imponeva più che vivessero nelle tende, spostandosi con le stagioni.

Il puritanesimo del deserto non spiega a sufficienza il rifiuto della cultura egiziana. Il rifiuto, qui come anche nei casi di più recente puritanesimo, derivava da quel complesso atteggiamento che sempre assume l'oppresso nei confronti della cultura degli oppressori. Gli Israeliti in Egitto erano attratti dai modi di vita degli Egiziani e dal culto egiziano, ma non potevano condividerli interamente e liberamente. Torniamo alla frase in Esodo 16. Riferisce il Midrash: "Non c'è scritto: 'quando mangiavamo *dalle* pentole di carne', ma 'quando sedevamo *dinanzi* alle pentole di carne'; senza carne dovevano mangiare il loro pane."[29] Della carne, sentivano l'odore, ma non il gusto e nel deserto quello di cui avevano nostalgia non erano altro che i desideri che provavano nella casa di schiavitù. D'altro canto è certo che una simile nostalgia dovesse essere mista a rabbia e risentimento. O, meglio, se alcuni Israeliti, come riferisce ancora il Midrash, desideravano "essere come gli Egiziani," altri, più orgogliosi, volevano accentuare le differenze e voltare le spalle alle "delicatezze" egiziane.[30]

I commentari sono pieni di storie dell'assimilazione israelitica in Egitto. "Il popolo di Israele," disse Savonarola, "divenne mezzo egiziano..." [31] Molti secoli prima, i rabbini sostenevano che molti Israeliti si vestivano come gli Egiziani e avevano adottato nomi egiziani. Essi generavano "strani bambini," riferisce un resoconto midrascico basato su un passo del profeta Osea (5:7) a cui è stato dato il significato che "essi abolirono la circoncisione." Un Midrash posteriore, scritto quando la conoscenza della cultura egiziana era da molto svanita, interpreta le parole "quella regione ne fu ripiena" (Esodo 1:7) come se significasse "gli anfiteatri e i circhi ne furono ripieni".[32] Qualcuno comunque narrava la storia degli anni della schiavitù in un modo completamente differente. Alcuni rabbini, per esempio, sostennero che esisteva un consenso tra gli Israeliti, molti anni prima della fuga nel Sinai, nel conservare i costumi ancestrali e la memoria del Dio dei patriarchi. Uno di loro afferma che mai nessun Ebreo tradì la comunità di schiavi israeliti in Egitto.[33] (Chi fu allora a informare il Faraone che Mosè aveva

31

ucciso un sorvegliante?) Queste versioni della esperienza egiziana sembrano contraddittorie, ma forse descrivono differenti aspetti della stessa storia. L'Egitto era un centro di ricchezza e di benessere; è verosimile che molti Israeliti ammirassero i loro oppressori, copiassero i modi di fare degli Egiziani, cercassero di accattivarsi il loro favore; e che invece altri avessero paura e reprimessero l'impulso ad agire così.

È possibile rintracciare la stessa tensione nella pratica religiosa. La venerazione degli idoli è senza dubbio la più importante fra le "cose che si praticano in Egitto" che gli Israeliti dovevano astenersi dal fare. È molto antica la tradizione secondo la quale in Egitto esistevano dei veneratori di idoli, schiavi che imitavano la religione dei padroni (senza trovare in ciò, come invece trovarono gli schiavi neri nel cristianesimo, un vangelo di libertà). Ezechiele sviluppa la piatta affermazione di Giosuè (24): "Lasciate quegli Dei, ai quali i vostri padri hanno servito in Mesopotamia e in Egitto."

Esse peccarono in Egitto nella loro gioventù, i loro seni furono schiacciati e perdettero la verginità. (23:3)

Poi il profeta minaccia distruzione perché il popolo ancora peccava nella terra promessa, e aveva continuato a "contaminarsi con idoli immondi" e a "macchiarsi con gli idolatri". Qui il linguaggio è quello del disgusto sessuale, ed è ancor più esplicito in un altro passo di Ezechiele dove si dipinge Israele come una donna che ricorda

il tempo della sua gioventù quando faceva la puttana nel paese d'Egitto. Tanto che arse di desiderio verso questi dissoluti, i quali hanno vigore di asini e ardore di stalloni. (23:19-20)

Questo è il modo sbagliato di ricordarsi della casa di schiavitù, ma descrive in modo forse abbastanza preciso gli dei-animali degli Egiziani. Oppure si riferisce alle forme orgiastiche di venerazione più comunemente associate agli dei di Canaan. Oppure ancora potrebbe essere un riferimento metaforico alla venerazione degli idoli in generale. In ogni caso il passo da Ezechiele può essere usato per illustrare il richiamo sensuale dell'idolatria e la ripulsa morale che suscita. Il profeta esprime la ripulsa ma riconosce il richiamo: "arse di desiderio verso questi dissoluti". Nell'episodio del vitello d'oro, che tratterò più diffusamente nel prossimo capitolo, è Aronne che riconosce l'esistenza di un richiamo (a cui lui stesso forse soccombe) mentre Mosè esprime la ripulsa. Solo così riusciamo a capire che cosa era l'Egitto agli occhi degli Israeliti. [34]

Gli Israeliti furono testimoni di quello che poi sarà definita decadenza: una grande cultura troppo sviluppata, troppo matura, guasta, corrotta, ma al tempo stesso ricca e attraente. Per uno straordinario gioco intellettuale (Esodo 15 e Deut. 7) le piaghe con cui Dio punisce gli Egiziani diventano le loro stesse malattie e simboleggiano la corruzione del paese. Tornare in Egitto vorrebbe dire essere esposti ai "morbi funesti d'Egitto".[35] Questo è il modo in cui è spesso descritto l'Egitto nella letteratura rivoluzionaria posteriore. Un tipico esempio è fornito dal sermone del predicatore puritano Stephen Marshall davanti alla Camera dei Comuni nel 1640: "In Egitto le rane e le cavallette non si diffusero mai quanto nel nostro regno le orribili profanità, l'oppressione, l'impurità, l'inganno e tutte le altre cose che sono puzza nelle narici del Signore." La "puzza", suppongo, viene da Esodo 7 là dove le acque del Nilo si trasformano in sangue: "sicché il fiume puzzerà". Quello che puzza nelle narici di Marshall sono le cerimonie papiste e l'autorità dei vescovi. È necessario tuttavia completare l'argomentazione di Marshall con le parole di un altro sacerdote puritano che rifletteva mestamente sul "naturale papismo della moltitudine, e del nostro stesso cuore."[36]

È possibile descrivere gli Israeliti sia come Egiziani naturalizzati sia come ribelli contro la schiavitù e la corruzione egiziane. In effetti la terra promessa, il contrario della schiavitù e della corruzione, non è poi così diversa dall'Egitto, come prima ho lasciato intendere. Questo è detto in modo esplicito in uno dei passaggi più rilevanti della storia dell'Esodo, quello in cui si racconta la ribellione contro Mosè organizzata dai capitribù Datan e Abiran. "Ti sembra poco l'averci tolti dal paese dove scorrono il latte e il miele, per farci morire nel deserto?" (Numeri 16:13) fu la loro domanda. L'Egitto era senza dubbio un paese di latte e miele e gli schiavi lo sapevano, anche se non potevano, o non avrebbero voluto, assaggiarne le delizie. Questa coscienza dava forma alla promessa divina: latte e miele tutto per loro, latte e miele senza "i morbi funesti d'Egitto". La terra promessa è tanto ricca quanto la casa di schiavitù, ma le ricchezze saranno più equamente divise e non saranno causa di corruzione. E quando non sono equamente divise oppure generano corruzione, allora è il momento di ricordarsi della storia dell'Esodo.

Senza i nuovi concetti di oppressione e corruzione, senza il senso dell'ingiustizia, senza la ripulsa morale non sarebbero possibili né l'Esodo né la rivoluzione. Nel testo le nuove idee sono adombrate dai loro antichi contrari: il senso dell'ingiustizia dalla rassegnazione, la ripulsa morale dalla brama. Le ombre sono tracciate nettamente; anche in questo la narrazione biblica è realista. Sono però le nuove idee che generano il nuovo evento. Esse forniscono energia all'Esodo e ne definiscono la direzione. La direzione è definitiva, non solo per quanto riguarda l'affrancamento del popolo di Israele, ma per tutte le sue successive interpretazioni e applicazioni. D'ora in avanti ogni mossa verso l'Egitto è un "tornare indietro," da un punto di vista morale, nel tempo e nello spazio. Quando Milton nel 1660 scriveva che gli Inglesi si stavano "scegliendo un capitano che li riportasse in Egitto," non intendeva descrivere un semplice ritorno (o una ripetizione ciclica), ma una regressione, una "ricaduta" nella schiavitù e nella corruzione. [37] La ricaduta non è incomprensibile, perché l'Egitto è una realtà complessa. Rappresenta però una sconfitta: è il paradigma della sconfitta della rivoluzione.

2. Le mormorazioni: schiavi nel deserto

I

In una poesia ispirata alla storia del biblico Giuseppe, dedicata a Joseph Brodsky, Anthony Hecht scrisse un verso stupendo su "l'Egitto ... quella antica scuola dell'anima."[1] L'idea dell'Egitto come scuola, o almeno come campo di addestramento, è abbastanza comune nella letteratura sull'Esodo. Alternativamente l'Egitto è una fornace, la "fornace di ferro" del Deuteronomio (4:20) interpretata dai rabbini come un calderone per forgiare metalli preziosi: l'oro puro è presumibilmente il prodotto finale. Questa è una concezione ottimistica degli effetti dell'oppressione sugli uomini e sulle donne comuni. Molti anni dopo, Savonarola fu della stessa idea nella sua spiegazione del versetto: "Ma quanto più l'opprimevano, tanto più il popolo si moltiplicava e s'estendeva" (Esodo 1:12) riferendosi, suppongo, al popolo di Firenze sotto il governo dei Medici. Gli Israeliti, spiegò Savonarola, si moltiplicarono di numero e crebbero nello spirito. Nel sermone seguente Savonarola descrisse con parole entusiastiche l'uccisione del sorvegliante da parte di Mosè, un esempio di intraprendenza, certo, ma non un gesto generato dalle afflizioni.[2] Mosè, infatti, era stato allevato alla corte del Faraone e non aveva mai lavorato con la calce e i mattoni (forse non aveva mai lavorato). Un'interpretazione rabbinica dell'episodio dell'uccisione del sorvegliante fornisce una descrizione più realistica di ciò che si imparava in quella "antica scuola dell'anima". Rammentiamo il testo biblico:

> Trascorso del tempo, Mosè si era fatto grande, e uscì per andare a trovare i suoi fratelli; conobbe i loro duri lavori, e vide un Egiziano

percuotere un Ebreo, uno dei suoi fratelli. Egli allora si voltò di qua e di là; e, visto che non c'era nessun uomo, uccise l'Egiziano, poi lo nascose nella sabbia (Esodo 2:11-12).

Si potrebbe pensare che Mosè volesse semplicemente assicurarsi di non essere visto; l'uccisione di un sorvegliante era un grave crimine nella casa di schiavitù. Ma il profeta Isaia è di altro parere, in una descrizione della giustizia divina che chiaramente riecheggia il testo dell'Esodo. Isaia immagina Dio mentre guarda dall'alto il male del mondo e i peccati di Israele aspettando e cercando una reazione umana:

> E vide che non vi era nessuno e si meravigliò che nessuno si opponesse. Perciò il suo braccio portò la salvezza [a Israele]; la sua giustizia fu il suo sostegno. (59:16)

Lavorando su questi versi, alcuni rabbini sostennero che quando Mosè si voltò di qua e di là egli stava cercando un Israelita che si opponesse e difendesse lo schiavo percosso; stava cercando un *vero* uomo, uno spirito orgoglioso e ribelle. E quando vide che non c'era segno di resistenza, quando vide, secondo l'opinione di un commentatore midrascico, "che non c'era nessuno pronto a battersi per la causa di Dio", agì lui stesso sperando di sollevare il popolo e di "raddrizzare le loro schiene". Da questa interpretazione, dicono, viene la massima attribuita a Hillel: "Se non c'è altro uomo, cerca di essere tu stesso un uomo."[3] (Devo far notare che la parola "uomo" è usata qui in senso generico, visto che fra i pochi "uomini" della storia dell'Esodo ci sono due donne, le levatrici [Esodo 1] che si rifiutano di eseguire l'ordine del Faraone di uccidere tutti i figli maschi degli Israeliti.)

La massa degli schiavi imparò in Egitto a comportarsi in modo servile e pedissequo. Impararono, come ho sostenuto nel capitolo precedente, a imitare i loro padroni, ma solo da lontano, nei desideri, con timore; essi lasciarono che la degradazione della schiavitù entrasse nelle loro anime. Questo è un significato plausibile del verso "non c'era nessun uomo" ed è uno dei temi principali della storia dell'Esodo e della letteratura interpretativa antica e recente. Esaminerò alcuni brani caratteristici prima di esaminare il passaggio chiave (Esodo 32), e cioè la storia del vitello d'oro. Vorrei dimostrare l'esistenza nel testo di una discussione sugli effetti psicologici e morali dell'oppressione. L'argomentazione è sorprendentemente simile a quella di Stanley Elkins, nel suo famoso e discusso libro sulla schiavitù nel sud americano. [4] In effetti Elkins avrebbe fatto bene a citare l'Esodo piuttosto che affidarsi, per i suoi paragoni, al caso estremo dell'Olocausto: il sud era infatti più simile alla casa di schiavitù che a un campo di sterminio. Esiste, in ogni caso, una lunga storia di citazioni in cui il servilismo degli Israeliti è usato per spiegare, in primo luogo, i quarant'anni di vagabondaggio nel deserto e i reiterati tentativi di

36

tornare in Egitto e in secondo luogo, più tardi, le difficoltà dei rivoluzionari e della politica di liberazione.

Inizierò da una storia che ha un fondamento testuale molto labile, ma che tuttavia offre la possibilità di approfondire la realtà politica dell'Esodo. Quando Dio, nel roveto ardente, ordina a Mosè di tornare in Egitto, gli dice di radunare tutti gli anziani di Israele e di andare con loro dal Faraone (Esodo 3:18). E infatti Mosè e Aronne riuniscono gli anziani e annunciano loro il prossimo affrancamento. Ma quando parlano al Faraone sono soli: "Mosè e Aronne si presentarono poi al Faraone e gli dissero: 'Così ha parlato il Signore Iddio d'Israele: Lascia andare il mio popolo ...'" (Esodo 5:1). Che ne è stato degli anziani? Questo è il resoconto midrascico:

I nostri rabbini dissero: gli anziani dapprima li seguirono, ma poi se la svignarono furtivamente, uno per volta, due per volta e sparirono. Quando [Mosè e Aronne] raggiunsero il palazzo del Faraone, nessuno di loro era rimasto. Questo è testimoniato dal testo:"Mosè e Aronne si presentarono poi dal Faraone." Ma dove erano gli anziani? Se l'erano svignata.[5]

Se la svignarono, dice Rashi, "perché avevano paura". [6] In queste parole probabilmente c'è un ricordo di Esodo 14:10, quando gli Israeliti si trovano intrappolati fra l'esercito egiziano e il mare: "Quando il Faraone fu vicino, i figli di Israele alzarono gli occhi; ed ecco che gli Egiziani marciavano alle loro spalle. Allora i figli di Israele furono presi da grande paura ..." Come gli anziani, anche tutto il popolo: tutti gli Israeliti temevano i loro padroni e non erano per niente entusiasti di sfidare il Faraone nel suo palazzo, atterriti com'erano alla vista dei suoi soldati. Stando alla Bibbia, le diverse tribù di Israeliti che marciarono dall'Egitto contavano 600.000 persone. Perché essendo così numerosi, si chiede il commentatore medievale Abraham Ibn Ezra, temevano per le loro vite? Perché non si volsero a combattere? Ne erano psicologicamente incapaci, conclude; essi sono frenati dalla loro mentalità servile; per secoli non si erano difesi − almeno combattendo. [7] In effetti non dovevano essere affatto uomini coraggiosi. Così dice l'Esodo (6:9): "Ma essi non dettero ascolto a Mosè per l'irritazione del loro animo e a causa della estrema durezza della loro schiavitù." Il termine ebraico è *kotzer ruach*, letteralmente "scarsezza di spirito", un termine che sta per irritazione, ma che qui, penso, sia da interpretare come "mancanza di coraggio".

Il Libro dell'Esodo descrive un popolo schiacciato dall'oppressione, sottomesso, impaurito, servile, scoraggiato. La stessa descrizione che rivoluzionari e riformatori hanno sempre fatto del loro popolo quando lamentano la scarsa volontà di ribellarsi alla tirannia. Persino Savonarola che, come abbiamo visto, era del parere che l'oppressione avesse soltanto rafforzato lo spirito israelita, non sempre si astiene da lagnanze di questo tipo. "La mancanza di spirito" è pusillanimità; disse nel 17° sermone sull'Esodo, ed è una condizione degli Israeliti come anche dei Fiorentini: "Voi fate a me quello che gli Israeliti fecero a Mosè ..." [8] Ovvero, voi non date ascolto alle mie parole e non siete con me nell'affrontare il tiranno. Predicando nel 1774 a Plymouth, un sacerdote americano fu ancor più pessimista: "Gli uomini privati della libertà," sostenne, "gli oppressi e gli schiavi ... si istupidiscono, i loro spiriti si avviliscono, diventano indolenti e striscianti, indifferenti e incapaci di qualsiasi miglioramento." [9] Dal suo punto di vista la lotta rivoluzionaria, che pure era già iniziata, era letteralmente impossibile. L'oppressione nelle colonie americane tuttavia (almeno l'oppressione britannica, indipendentemente dall'oppressione locale degli schiavi e dei servi salariati), appariva prevalentemente teorica: una tirannia molto distante. L'idea di "estrema durezza della schiavitù" penso si applichi meglio all'odierna America Latina. Croatto elenca una lunga lista di casi concreti nei quali "riscopre" il significato che l'oppressione ha nell'Esodo: gli schiavi interiorizzano la loro "identità frantumata". [10]

È immaginabile che gli schiavi israeliti avessero imparato ad avere compassione per chiunque si trovasse nelle loro stesse condizioni. Questa è un'interpretazione rabbinica contemporanea delle metafore della scuola e della fornace: "la schiavitù egiziana ebbe l'effetto di radicare fra noi la qualità della gentilezza ..." [11] Sarà anche vero, ma non radicò le qualità dell'iniziativa, del rispetto di sé, della rabbia contro l'oppressione, della combattività. Queste erano qualità di Mosè nella prima parte della storia dell'Esodo, e naturalmente qualità di Dio. Non voglio tuttavia esagerare questo aspetto. Ci sono infatti nel testo prove della scarsa omogeneità politica degli Israeliti; una versione folklorica (elaborata in numerose canzoni e poesie) sostiene che di fronte al mare solo una parte del popolo era impaurita e disposta a tornare in schiavitù, mentre altri erano pronti a combattere e altri ancora si erano già buttati in mare ancora prima che le acque si aprissero, tanto erano sicuri dell'aiuto divino. [12] Lo stesso fatto che gli schiavi in Egitto "levassero grida contro il Signore" suggerisce, come prosegue Croatto, che "essi non avevano interiorizzato interamente lo stato di oppressione". [13] Avevano ancora una certa considerazione di se stessi come uomini e donne potenzialmente liberi. L'idea di un popolo che non possieda questa coscienza, che manchi completamente di "spirito" e sia del tutto degradato, suggerisce una politica rivoluzionaria nella quale gli oppressi sono trattati dai loro liberatori con lo stesso disprezzo con cui erano trattati dai loro oppressori. Hegel prepara il terreno per una politica di questo tipo nello *Spirito del Cristianesimo* con una critica sprezzante del popolo ebreo:

Una grande cosa fu fatta per gli Ebrei, ma essi non la inaugurarono con propri atti eroici ... Gli Ebrei vinsero senza combattere ... Non c'è da stupirsi che a questo popolo, che durante la sua emancipazione tenne il comportamento più servile, dispiacesse lasciare l'Egitto.[14]

Si può infatti applicare questa argomentazione a quasi tutte le rivoluzioni. Anche per gli Inglesi nel 1640, per i Francesi nel 1789 e per i Russi nel 1917 "fu fatta una grande cosa". Il regime precedente, in tutti questi casi, fu indebolito gravemente o rovesciato da forze esterne, non da un'eroica resistenza interna. La politica rivoluzionaria, nel vero senso del termine, inizia solo dopo il crollo o il collasso del potere statale. Ma da questo non si può concludere che i popoli oppressi abbiano poco o niente a che fare con la propria liberazione.

I teorici della rivoluzione (e chi scrive sull'Esodo) possono essere divisi in due gruppi: quelli che credono che la liberazione degli oppressi sempre sarà come quella degli Ebrei di Hegel, un regalo di Dio (o della storia, o di un'avanguardia); e quelli che credono che la liberazione, almeno in parte, debba essere opera degli stessi oppressi. Fra gli scrittori ebrei, per ovvie ragioni, ci fu sempre una certa resistenza agli argomenti di tipo hegeliano anche se questo significò negare che la liberazione del popolo di Israele fosse stata solo opera della volontà di Dio. In ogni caso la posizione di Hegel non è molto realistica, perché se Dio solo fosse stato artefice della liberazione, il popolo non avrebbe mai potuto esitare, come invece accadde; e se il popolo era capace di esitare, era anche capace di andare avanti.

Il rabbino Eliezer disse: Questo dimostra la grande fede del popolo di Israele. Quando Mosè disse loro: "Alzatevi e andate avanti," essi non risposero: "Come facciamo ad andare avanti nel deserto se non abbiamo il cibo per il viaggio?" Ma ebbero fede e andarono. [15]

II

Il testo biblico, tuttavia, non sottovaluta i timori del popolo, e in questo sta la sua grande efficacia. Il testo non ci spiega, però, quali forme assunsero i timori durante i lunghi anni della schiavitù. La storia di quegli anni è descritta troppo brevemente. E perciò non esiste nella letteratura ebraica nulla di simile alla figura di Sambo descritta da Elkins, lo schiavo complice dei padroni, abietto, infantile, irresponsabile. Probabilmente c'erano Israeliti così, in Egitto; può darsi che un giorno se ne troverà traccia nella letteratura egiziana. Gli Ebrei produssero un altro stereotipo, il "mormoratore", che possiamo paragonare a un Sambo nel deserto: non lo schiavo che si è abituato alla schiavitù, ma quello che si lamenta continuamente della sua libertà.

Ci sono molte "mormorazioni", ma il passaggio che voglio considerare, e a cui già mi sono riferito, è Esodo 16:2-3:

I figli d'Israele dissero loro: "Oh! fossimo periti per mano del Signore, nel paese d'Egitto, quando sedevamo dinanzi alle pentole di carne, quando mangiavamo pane a sazietà! Mentre voi ci avete condotti in questo deserto per far morire di fame tutta questa moltitudine."

Segue il miracolo della manna, e Dio, se non fosse onnisciente, avrebbe potuto presumere verosimilmente che il popolo sarebbe stato, da quel momento in avanti, soddisfatto. Egli l'aveva tratto dalla schiavitù, aveva aperto il mare e distrutto l'esercito del Faraone, l'aveva sostentato nel deserto e questo poteva già sembrare abbastanza. E invece no: la manna nel deserto risvegliò la nostalgia per la carne della casa di schiavitù, e nel libro dei Numeri si rinnovano le lamentele:

Chi ci darà da mangiare della carne? Oh, come ci torna in mente il pesce che in Egitto si mangiava liberamente, i cocomeri, i meloni, i porri, le cipolle e gli agli: qui invece noi deperiamo, privi di tutto; i nostri occhi non vedono che manna. (11:4-6)

Queste mormorazioni riflettono, penso, la normale ansietà degli uomini e delle donne di fronte alle difficoltà della marcia e alla terribile austerità del deserto. Dio e Mosè guardano lontano, vedono la terra promessa dinanzi a loro, e pensano che nessuna sofferenza sia troppo grande rispetto al fine che si pongono. Ma il popolo, almeno in parte, non era troppo sicuro del fine e voleva prove più immediate del potere e della sollecitudine di Dio: "Ma potrà apprestare al suo popolo vivande nel deserto?" (Salmo 78:20) Il Faraone almeno nutriva i suoi schiavi, in modo, così ricordavano o sembrava loro di ricordare, abbondante. Il conflitto è quindi tra il materialismo del popolo e l'idealismo dei capi, fra i bisogni immediati e le·promesse per il futuro. Queste formulazioni politiche così comuni si possono trovare, sviluppate in molti modi diversi, nella letteratura rabbinica, di solito, anche se non sempre, con poca simpatia per il popolo e per i bisogni immediati. Lo stesso argomento riappare più tardi in uno dei sermoni più importanti della rivoluzione inglese. Davanti alla Camera dei Comuni, il giorno successivo all'esecuzione di Carlo I, John Owen rimprovera il popolo inglese di essere incapace di concentrarsi sulla "prossima liberazione" e di pretendere invece che il nuovo governo fornisca rimedi istantanei:

[Il popolo] ha sete? − Mosè è la causa. Manca la carne? − Questo Mosè vuol far morire tutti di fame. Non li lasciò tranquilli dinanzi alle loro pentole di carne in Egitto; per questo il popolo è pronto a lapidarlo. Anche oggi − ha piovuto troppo? Il raccolto è stato scarso? − Tutto è caricato sulle spalle del nuovo governo. [16]

Sullo stesso tema ritornò un predicatore di New Haven nel 1777:

...Come fa in fretta la fede ad abbandonarci e noi a mormorare contro

Mosè e Aronne e a desiderare il ritorno in Egitto dove avevamo qualche comodità che ora ci manca. Non dimentichiamo che ogni liberazione porta con sé grandi problemi e difficoltà ... [17]

Ma questa è un'interpretazione troppo semplicistica delle mormorazioni. In realtà il problema non sono tanto le difficoltà, ma il significato stesso dell'affrancamento, anzi della libertà. I rabbini affrontano questo problema con un'elaborata interpretazione della frase "il pesce che in Egitto si mangiava liberamente". Apparentemente la frase significa che il pesce non veniva pagato; si pensa che il Faraone ragionasse così: come possono [gli schiavi] lavorare duramente e con buoni risultati se hanno la pancia vuota? E perciò li nutriva. I commentatori moderni citano un passo da Erodoto, il quale sostiene di aver letto un'iscrizione su una piramide che riferiva che ai lavoratori erano state fornite 16.000 misure di aglio e cipolle.[18] Alcuni rabbini, però, insistettero nell'interpretare la parola "liberamente" come "liberi da comandamenti". Il deserto, infatti, non solo fu la terra dell'austerità, fu anche il mondo delle leggi – dell'intero sistema legale fondato da Mosè, del codice dietetico, della proibizione, sabbatica, di cucinare, e via di seguito. La manna stessa venne insieme a leggi e regole: "e così lo metterò alla prova, se camminano nella mia legge, o no" (Esodo 16:4). Era contro tutto questo che il popolo si ribellava ricordando l'Egitto come una casa di libertà.[19]

Esiste infatti una forma di libertà anche nella schiavitù: uno dei temi più antichi del pensiero politico, caro soprattutto al repubblicanesimo classico e neoclassico e fra i Calvinisti, è che vi sia uno stretto legame fra tirannia e licenza. Irresponsabili e puerili, lo schiavo e il suddito sono liberi in un modo in cui il cittadino repubblicano e il santo protestante non potranno mai essere. Ed esiste una schiavitù anche nella libertà: la schiavitù della legge, del dovere e della responsabilità. La vera libertà, agli occhi dei rabbini, consiste nell'essere servi di Dio. Gli Israeliti erano schiavi del Faraone, nel deserto essi diventano servi di Dio (la parola ebraica è la stessa); una volta accettata la legge di Dio, Dio e Mosè che lo rappresenta li obbligano a essere liberi. Questa, secondo Rousseau, fu la grande impresa di Mosè; egli trasformò una massa di "disgraziati fuggiaschi," a cui mancavano virtù e coraggio, in un "popolo libero". Mosè per fare questo non si limitò a spezzare le loro catene, ma li organizzò in una "società politica" e diede loro delle leggi. [20] Diede loro quella che si definisce comunemente "libertà concreta" (*positive freedom*), ovvero non tanto una vita senza regole, ma piuttosto un modo di vita le cui regole potessero essere, come infatti avvenne, accettate liberamente. L'idea che questa condizione possa essere propriamente definita "libertà" è molto criticata, a volte giustamente, dalla recente letteratura filosofica; essa contiene tuttavia una profonda verità riguardo al processo di liberazione. Gli schiavi israeliti potevano liberarsi solo se accettavano la disciplina della libertà, se accettavano di vivere secondo norme comuni e di assumersi la responsabilità delle proprie azioni. E infatti accettarono una norma comune, con l'alleanza del Sinai (il soggetto del capitolo 3), ma non amavano la norma e temevano le responsabilità che essa comportava. Gli Israeliti avevano quella che si potrebbe definire un'idea egiziana della libertà.

Il deserto servì da scuola dell'anima. Ecco perché gli Israeliti dovettero passare tanto tempo nel deserto. Non marciarono per la strada più diretta dall'Egitto a Canaan; Dio li guidò per una strada tortuosa. Maimonide, nella *Guida per il perplesso*, fornisce questa spiegazione: "Perché non è possibile passare istantaneamente da un opposto all'altro ... non è nella natura dell'uomo, dopo essere stato allevato in schiavitù ... levarsi di dosso tutta la sporcizia [della schiavitù]." È caratteristico che egli veda le difficoltà della liberazione e giudichi con bonarietà le mormorazioni degli Israeliti, immaginando che Dio faccia altrettanto: "la divinità adopera un benevolo stratagemma e induce [il popolo] a vagare perplesso nel deserto finché le anime diventino coraggiose ... e finché nascano giovani non abituati all'umiliazione e alla servitù".[21] Come ha suggerito Nehama Leibowitz, questa è la versione rabbinica dell'"inevitabilità della gradualità" fabiana.[22] Con sfacciato anacronismo io la definisco la versione socialdemocratica dell'Esodo. È curioso che Karl Marx, sicuramente in modo inconscio, la riecheggiasse nel descrivere le conseguenze del 1848:

La rivoluzione che quivi troverà non già la sua fine, bensì il suo inizio di organizzazione, non sarà una rivoluzione di breve respiro. L'attuale generazione assomiglia agli Ebrei, che Mosè condusse attraverso il deserto. Non solo deve conquistare un nuovo mondo: deve perire per far posto agli uomini, nati per un nuovo mondo.[23]

Maimonide parla di quelli che dovranno nascere; Marx, con maggiore durezza, di quelli che dovranno perire. Nessuno dei due accenna, in questi passi, al gran numero di Israeliti che saranno uccisi. Ma la violenza era presente nel deserto: si marciava, si mormorava e si lottava, contro nemici interni e contro le punizioni divine. Non possiamo esaurire il discorso sui problemi posti dal rapporto fra schiavitù e liberazione prima di aver analizzato da vicino l'incidente del vitello d'oro, che vide le mormorazioni del popolo trasformarsi quasi in una controrivoluzione – e quando in risposta alle mormorazioni furono usati metodi ben diversi dal "benevolo stratagemma" di Maimonide.

III

I lettori probabilmente conoscono molto meglio di quanto pensino la storia del vitello d'oro. Comunque la ricorderò brevemente. Mosè era sulla cima della montagna ormai da quaranta giorni e il popolo era ansioso e spaventato per la sua assenza. O meglio, alcuni erano ansiosi e spaventati: la precisazione è necessaria perché sarà il testo, più avanti, a chiarire che la gente ai piedi della montagna non era in tutto concorde. "La diffidenza sopraffece una parte di questo grande popolo," scrisse Judah Halevi nel suo *Kuzari* "e iniziarono a dividersi in partiti e fazioni ..." [24] Uno di questi partiti va da Aronne, il fratello di Mosè, e gli chiede di costruire un idolo, un dio visibile. Il debole Aronne acconsente e dopo aver raccolto i gioielli d'oro, che gli vengono portati, dà al metallo fuso la forma di un vitello, o meglio di un torello. La gente lo adora, fa festa e "gioca" intorno all'idolo. La parola ebraica che sta per "giocare" è *litzachek* e ha, secondo Rashi, connotazioni sessuali: l'adorazione era orgiastica. [25] Dio, in un impeto d'ira, avverte Mosè di quanto sta succedendo ai piedi della montagna e manifesta il proposito di distruggere il popolo che aveva da poco liberato e di fare della discendenza di Mosè una "grande nazione". Ma Mosè discute con Dio e ottiene la promessa del perdono. Poi scende dalla montagna con le tavole, entra nell'accampamento e vede il popolo (o una parte) che sta venerando l'idolo, e si accende d'ira proprio come Dio quando aveva visto lo stesso spettacolo. Mosè spezza le tavole e mobilita i suoi seguaci:

"Chi è per il Signore? A me!" E si raccolsero attorno a lui tutti i figli di Levi. Ed egli ordinò loro: "Ha detto il Signore, Iddio d'Israele: ciascuno di voi si metta la spada al fianco; andate in giro per l'accampamento da una porta all'altra, e ognuno uccida il fratello, l'amico, il parente." Allora i figli di Levi fecero secondo le parole di Mosè; e in quel giorno perirono fra il popolo circa tremila uomini. (32:26-28)

Ci sarebbero molte cose da dire su questo punto e molta letteratura da passare in rassegna; limiterò la mia attenzione ai temi principali. In primo luogo il vitello d'oro. Alcuni studiosi contemporanei sostengono che l'idolo è di origine canaanita e che l'intera storia è un'interpolazione successiva, un attacco propagandistico contro il regno settentrionale di Israele, dov'era stato costruito un altare con tori d'oro durante il regno di re Jeroboam.[26] Anche gli Egiziani, tuttavia, veneravano un toro d'oro, Apis, e la storia perde molto del suo significato se viene separata dal contesto dell'Esodo; per lo meno perde il significato che gli è stato attribuito nelle tradizioni di cui mi sto occupando, relative al concetto ebraico di affrancamento e alla teoria politica della liberazione. Seguirò perciò il filosofo Filone che dice, nella *Vita di Mosè*, che il popolo "forgiò un toro d'oro, a imitazione dell'animale considerato più sacro in [Egitto]"; e seguirò il predicatore puritano che nel 1643 scrisse: "con i gioielli egiziani fecero un idolo egiziano ... era un ritorno all'Egitto"; e seguirò Lincoln Steffens, che scrisse nel nostro secolo: "i figli di Israele stavano tornando ai loro vecchi dei, gli dei degli egiziani ..." [27] Questa è la grande crisi dell'Esodo.

Le interpretazioni rabbiniche rintracciano l'origine egiziana del vitello d'oro in un altro punto della storia: quando Mosè difende il popolo davanti a Dio. Nel testo il racconto di questo episodio è breve e non del tutto soddisfacente. Mosè, grazie alla sua arte oratoria, sembra segnare un punto a suo favore: cosa diranno gli Egiziani, chiede, se Tu distruggi un popolo che loro avevano solo reso schiavo? I rabbini tentarono di immaginare argomenti più efficaci con cui Mosè avrebbe potuto difendere il popolo, ma quali potevano essere? Sicuramente il crimine era enorme. Gli Israeliti avevano appena contratto un'alleanza con Dio e giurato ubbidienza: "Tutto quello che il Signore ha detto, noi lo faremo e ubbidiremo" (Esodo 24:7). E ora si erano corrotti fino ad adorare un idolo. Cosa poteva dire Mosè? La questione fu di importanza eccezionale nei primi secoli dell'era volgare, dato che i polemisti cristiani usavano la storia del vitello d'oro per sostenere che, sebbene gli Ebrei fossero stati originariamente il popolo eletto da Dio, essi avevano respinto quasi subito l'elezione e avevano essi stessi rifiutato di essere il popolo di Dio.[28] Ecco una risposta midrascica:

Il rabbino Huna disse: "Un uomo saggio aprì per il figlio un negozio di profumi in una strada frequentata da prostitute. La strada ebbe la sua influenza, gli affari la loro e l'età anche: il risultato fu che il giovane cadde nel peccato. Quando venne suo padre e lo trovò con una prostituta iniziò a urlare: 'Io ti ucciderò'. Ma l'amico che era con lui disse: 'Tu rovinasti la personalità di questo giovane e adesso lo sgridi! Tu ignorasti tutte le altre professioni e gli insegnasti a essere un profumiere; non prendesti in considerazione altre zone della città e gli apristi un negozio proprio dove dimorano le prostitute!' Questo disse Mosè: 'Signore dell'Universo! Tu ignorasti il mondo intero e permettesti che i Tuoi figli fossero fatti schiavi proprio in Egitto, dove tutti veneravano [gli idoli] e dove i Tuoi figli hanno imparato [ad agire in modo corrotto]. Per questo motivo hanno forgiato un vitello! Tieni in mente da dove li hai tratti!' "[29]

È tutta colpa di Dio, non perché Egli abbia indotto (direttamente) gli Israeliti a venerare gli idoli, ma perché avrebbe dovuto prevedere le conseguenze della schiavitù in Egitto; Dio deve capire, (chi, se non Lui?) la natura della determinazione storica. L'oppressione è un'esperienza con conseguenze inevitabili e Dio, di fronte a queste conseguenze, non deve ora essere impaziente (o scoraggiato). Ecco di nuovo il discorso a favore del gradualismo. Materialmente la fuga dall'Egitto è veloce, gloriosa, completa; spiritualmente e politicamente è invece molto lenta, e ogni due passi avanti gli Israeliti ne fanno uno indietro. È bene notare che dall'Esodo si ricavò spesso questa lezione. Un bell'esempio è quello di uno schiavo americano da poco liberato che così scrisse ai suoi compagni nel 1862: "Non bisogna guardare indietro all'Egitto. Il popolo di Israele passò quarant'anni nel deserto ... Cosa importa se non riusciamo a vedere davanti a noi i verdi campi di Canaan?

Neanche Mosè li vedeva ... Noi dobbiamo rompere le catene di Satana ed educare noi stessi e i nostri figli."[30] La necessità dell'educazione, è in effetti, l'argomento, o uno degli argomenti, del testo biblico, come vedremo in seguito. Dello stesso parere era un prete latino-americano che, pensando alle mormorazioni degli Israeliti, scrisse, negli anni '60, che il periodo del deserto fu un periodo di stenti e di lotte, "una graduale pedagogia di successi e fallimenti" nel corso di una "lunga marcia". [31]

Ma "graduale pedagogia" è una definizione eufemistica della lezione che Mosè diede al popolo ai piedi della montagna – una lezione scritta col sangue. La mobilitazione dei Leviti e lo sterminio degli idolatri costituisce, da un punto di vista politico, un momento cruciale nel passaggio dalla casa di schiavitù alla terra promessa, la prima purga rivoluzionaria. La parola "purga" fu introdotta nel vocabolario della rivoluzione dai Puritani inglesi: [32] la presero, penso, da Ezechiele (20) dove il profeta racconta la storia dell'Esodo e promette agli esuli a Babilonia un nuovo Esodo e un nuovo viaggio nel deserto:

> Come giudicai i vostri padri nel deserto, così giudicherò voi, dice il Signore Iddio. Vi sottometterò con la verga e vi ricondurrò alle leggi dell'alleanza. Purgherò da voi ... quanti si sono staccati da me: li farò uscire dal paese in cui dimorano, ma non entreranno nella terra di Israele ... (20:36-38)

I rabbini avevano la tendenza a pensare alle "purghe" nel deserto come a un metodo per imporre la legge, ma anche loro videro nell'uccisione degli idolatri un'azione politica di carattere straordinario. La prova del carattere straordinario era rivelata da un'omissione nel testo. "E [Mosè] ordinò loro: ha detto il Signore Iddio d'Israele: Ciascuno di voi si metta la spada al fianco ..." Il comando di Dio, però, nel testo non compare; Dio non aveva mai ordinato lo sterminio degli idolatri. Fu Mosè a inventarsi l'ordine? Era forse Mosè – ancora una volta il mio riferimento è deliberatamente anacronistico – un principe e un liberatore machiavellico? Così Machiavelli descrive Mosè nei suoi *Discorsi*: "Chi legge la Bibbia con discernimento vedrà che Mosè, prima di poter stabilire le leggi e le istituzioni, dovette uccidere un gran numero di uomini ..." [33] Non è più facile far quello che comunque deve essere fatto se il principe può rivendicare un'autorità divina? Alcuni rabbini manifestarono la stessa idea di Machiavelli:

> Mosè ragionò fra sé e sé e disse in cuor suo: Se io dico agli Israeliti, ognuno uccida il suo fratello, essi mi risponderanno: con che diritto tu ammazzi tremila uomini in un giorno? Egli perciò invocò il nome dell'Altissimo e disse: "Ha detto il Signore Iddio d'Israele ..." [34]

Altri rabbini sostennero che l'ordine era stato effettivamente impartito da Dio, ma era così tremendo che non fu riportato.

Tremendo perché furono uccisi fratelli e vicini; tremendo perché il massacro era una giustizia sommaria: gli idolatri furono uccisi senza avvertimento e senza processo. Così scrisse il commentatore medievale Nachmanides: "Fu una misura d'emergenza ... poiché non c'era stato l'appropriato monito della legge; chi aveva avvertito [gli Israeliti] delle conseguenze del loro crimine? ... Fu solo un ordine impartito oralmente a Mosè ... e nemmeno riportato." [35] Una misura d'emergenza, un atto, per così dire, di Stato.

Sia che l'ordine fosse partito da Dio o da Mosè, era in ogni caso un ordine estremamente grave. Dopo altre mormorazioni, chi aveva sfidato Mosè era stato ucciso, ma in un modo diverso da come furono uccisi gli idolatri: giustizia era stata fatta da Dio stesso, come prova ulteriore del Suo potere assoluto e della Sua ira terribile: "e l'ira sua si accese tanto che il fuoco del Signore divampò sul popolo ..." (Numeri 11:1). Qui invece gli autori della distruzione sono uomini: Mosè in persona e un gruppo di fedeli che si stringe attorno a lui nel momento critico e che in seguito diventerà il clero levitico. I moderni studiosi biblici in genere giudicano questa parte della storia un'aggiunta successiva (dando per scontato che non lo sia l'intera storia) la cui funzione sarebbe di giustificare il ruolo dei Leviti. [36] Ma la storia ha senso così com'è, anche se non è lieta. La pedagogia del deserto non solo è lenta, ma anche ineguale: alcune persone o alcuni gruppi imparano più velocemente di altri. Alcuni di loro si adattano più volentieri all'alleanza, si trasformano secondo il nuovo modello di popolo eletto, interiorizzano la legge quando per altri è ancora un'imposizione esterna, una minaccia alle abitudini egiziane. Mosè grida: "Chi è per il Signore? A me!" e attira a sé questi uomini nuovi, divide la comunità, crea un gruppo — la potremmo definire un'avanguardia — i cui membri anticipano, almeno nelle intenzioni, il "popolo libero" del futuro. Infatti essi diventano i giudici del futuro, i sacerdoti, i burocrati. E nel frattempo, governano con la forza; essi sono i nemici della "clemenza" e del gradualismo.

IV

L'appello di Mosè ai Leviti è un atto politico di primaria importanza e così figura, non a caso, nel pensiero politico occidentale. Voglio ora passare in rassegna alcuni esempi di come sia stato citato e usato questo episodio; non mi propongo un esercizio di storia delle idee, ma un ulteriore tentativo di afferrare il significato del testo attraverso la critica delle sue interpretazioni. Qui il testo pone chiaramente la questione della violenza politica e dell'atteggiamento verso i violenti e così è stato letto nel tempo. O non letto, perché è anche possibile eludere la questione semplicemente ignorando Esodo 32. Nelle *Antichità giudaiche*, Giuseppe Flavio racconta la storia dell'Esodo nei dettagli, ma evita di ricordare l'incidente del vitello d'oro, limitandosi a riferire che "sorse una disputa" fra la gente che attendeva il ritorno di Mosè.[37] Sospetto che Giuseppe Flavio avesse l'intenzione di indurre i suoi lettori a pensare che gli Zeloti del suo tempo fossero, i primi fanatici radicali della storia ebraica e che non avessero nessuna giustificazione testuale. Al contrario i Leviti o proto-Leviti erano stati i primi a dimostrare il loro fanatismo con le spade.

Quando è giusto l'uso della spada? E chi la può usare legittimamente? Questi temi sono centrali nel pensiero politico e per molto tempo, ogniqualvolta venivano discussi, vennero ricollegati al capitolo 32 dell'Esodo. Quando Sant'Agostino, per esempio, si rassegnò a difendere la persecuzione dei Cristiani eretici da parte dello Stato romano, giustificò la sua nuova posizione con un'interpretazione dello sterminio degli idolatri. La spada era la stessa, egli ammise, in mano ai magistrati romani e ai Donatisti eretici, ma serviva a scopi differenti:

> Quando il bene e il male compiono le medesime azioni e subiscono le medesime afflizioni, non si devono distinguere in base a ciò che fanno o a ciò che subiscono, ma in base ai loro motivi: per esempio il Faraone oppresse il popolo di Dio con la dura schiavitù; Mosè afflisse quello stesso popolo con severe punizioni [S. Agostino si riferisce qui a Esodo 32:37]: le loro azioni erano simili, ma diverso era il movente per il bene del popolo — uno era spinto dalla brama di potere, l'altro era infiammato dall'amore. [38]

"Infiammato dall'amore" è un'interpretazione edulcorata del biblico "allora Mosè si accese d'ira". Ma la cosa più interessante di questo passo è che qui, come in altri richiami di Agostino all'episodio, non sono mai nominati i Leviti. Agostino voleva difendere l'operato dei magistrati, non voleva invitare i singoli a fare ciò che spetta al Signore, e perciò non aveva niente da dire sull'appello di Mosè ai volontari. Come Giuseppe Flavio, anche Sant'Agostino tace su una questione fondamentale. Durante gli anni delle crociate, tuttavia, il singolo fu chiamato a gran voce, e apparentemente l'appello era giustificato dall'invocazione di Esodo 32. Non aveva forse detto Mosè: "*Ciascuno* di voi si metta la spada al fianco"? Questo, a ogni modo, fu il passo che San Tommaso d'Aquino dovette interpretare per poter rispondere ai radicali cristiani del suo tempo. La sua risposta metteva in particolare risalto la prima parte del discorso di Mosè: "Ha detto il Signore, Iddio d'Israele." I Leviti seguirono un preciso comando di Dio (Mosè non era altro che un messaggero), e quindi lo sterminio degli idolatri era "completamente" opera sua e non dei Leviti. [39] Dio non darà mai più simili ordini, non si comporterà mai più così. Dopo molti anni Grozio, riprendendo l'argomentazione di Tommaso d'Aquino, attribuì la severità della punizione al "consiglio divino" e affermò, con un buon grado di trepidazione agnostica, che quel consiglio non poteva essere di guida per la politica coeva: "Non ne possiamo trarre nessuna conclusione ... la sua profondità non è sondabile ... noi potremmo cadere nell'errore". [40]

Per Calvino e i suoi seguaci, questa posizione era mera codardia. Esodo 32 era ovviamente un precedente che desideravano, molto più di Sant'Agostino e San Tommaso d'Aquino, attualizzare. Pareva loro di rivivere l'intera storia dell'Esodo e di essere in grado di penetrare il testo in ogni sua parte. Il viaggio nel deserto era da un lato una metafora che serviva alla loro politica, dall'altro un modello. Anche loro erano sfuggiti all'oppressione (papista) e dovevano condurre una lotta lunga e difficile con il loro popolo: gli eletti di Dio contro quella che un predicatore puritano definì "l'opposizione rabbiosa della cocciuta moltitudine". [41] Che gli uccisi fossero fratelli dei Leviti era per Calvino più importante del fatto che fossero idolatri. "Dovrete mostrarvi corretti e zelanti nel servire Dio," disse ai suoi seguaci ginevrini, "uccidendo senza scrupoli i vostri stessi fratelli, e mettendo in secondo piano, in questo caso, l'ordine della natura, per mostrare che Dio è sopra ogni cosa." [42] Questa posizione politica è espressa ancor più chiaramente in un breve commento di John Knox allo stesso testo: "La parola di Dio chiamò a sé gli eletti, contro le parvenze terrene, contro gli affetti naturali e contro gli statuti civili e le costituzioni." [43] Come suggerisce l'ultimo termine, non aveva nessuna importanza per Knox la differenza fra magistrato e privati cittadini. Era Dio stesso a distribuire gli incarichi.

Ma l'operato non fu mai facile. Anche l'"umile Mosè," disse un predicatore puritano davanti alla Camera dei Comuni nel 1643, fu costretto a essere talvolta "sanguinario". [44] I Puritani non erano stupiti che gli Inglesi, liberati dalla "schiavitù del dominio reale", resistessero a ogni ulteriore affrancamento. Non avevano forse gli Israeliti provocato e irritato il Dio che li aveva scelti, "con la miscredenza, le mormorazioni, le lamentele e con altri peccati e tentazioni", come disse Cromwell?[45] Perché gli Inglesi avrebbero dovuto essere diversi? Dio aveva reagito duramente, qualche volta in maniera diretta, altre per mezzo dei suoi rappresentanti. Non era necessario leggere il testo con machiavellica "astuzia" per accorgersi della sua durezza; bastava leggerlo — anche se forse era d'aiuto trovarsi (o immaginarsi) a marciare sul difficile terreno fra la schiavitù e la promessa. L'unico modo per raggiungere la terra promessa era sconfiggere gli oppositori e obbligare il popolo riluttante a marciare. Così, a ogni modo, sembrava: le rivoluzioni generano uomini e donne "di ferro." Negli anni che seguirono il 1640 si avvertiva la durezza degli animi e spesso se ne cercava nell'Esodo la "legittimazione". "Il rimedio celeste" e il metodo divino per salvare una repubblica e una chiesa in pericolo," disse alla Camera dei Comuni Samuel Faircloth già nel 1641 "...è che quelli che hanno l'autorità, data da Dio, di abolire completamente e di estirpare tutte le cose maledette che le disturbano, lo facciano." [46] Qui le "cose maledette" si sdoppiano e Faircloth è esplicito: sono compresi sia gli idoli che gli idolatri. E quelli che hanno l'autorità data da Dio sono dapprima i membri della Camera dei Comuni, ma poi presto i "membri della Camera purgati", e infine il Parlamento dei santi.

All'incirca tre secoli dopo, Lincoln Steffens trovò nella storia dell'Esodo una completa giustificazione della politica leninista, ovvero della dittatura e del terrore. Egli ripete la distinzione di Agostino fra l'uso che il Faraone e Mosè fecero della stessa spada in un linguaggio tipicamente moderno: "Ogniqualvolta una nazione istituisce un nuovo sistema di leggi e costumi, si ha un terrore rosso; ogniqualvolta difende il vecchio sistema, si ha un terrore bianco." [47] In effetti, il leninismo riecheggia una vecchia storia: il popolo schiavo, incapace di liberarsi da solo e persino di immaginare la libertà; il leader rivoluzionario che viene da fuori, la cui esperienza di vita è totalmente differente da quella degli uomini e delle donne che guida; il gruppo dei militanti, reclutati fra il popolo, ma anche separati dalla gente fino a formare una struttura organizzata e disciplinata; e infine la continua purga del popolo da parte dei militanti. Rintracciare questi elementi nell'Esodo, non è fraintendere il testo o imporgli la teoria di Lenin a tutti i costi. Al contrario, direi che la teoria rivoluzionaria di Lenin (lascerei da parte la pratica) è rafforzata immensamente dalla sua consonanza con l'Esodo.

E in fondo le letture rabbiniche non si discostano molto da quella leninista. Martin Buber non fa che seguire tremila anni di interpretazioni ebraiche quando scrive nel suo *Mosè* che quella dell'Esodo "non era una libertà che un popolo cresciuto nella schiavitù potesse conquistare da solo". [48] Mosè era cresciuto lontano dal suo popolo e più tardi se ne separerà nuovamente. Subito dopo l'incidente del vitello d'oro, "Mosè prese il tabernacolo e lo eresse a una certa distanza fuori dell'accampamento" (Esodo 33:7). La spiegazione solita dei rabbini − il testo non dà spiegazioni − è che Mosè avesse spostato il tabernacolo a causa del "peccato del popolo con il vitello". [49] Né Dio, né il suo rappresentante potevano più abitare fra gli Israeliti. O si potrebbe dire, più tristemente, che né Dio né Mosè potevano più abitare in mezzo a gente a cui avevano ordinato (uno o l'altro che fosse) di uccidere il fratello, l'amico, il vicino. Così l'idolo, anche dopo essere stato distrutto, proietta ancora le sue ombre sull'accampamento e il popolo non è condotto, come ci si potrebbe attendere da un popolo alleato di Dio, da qualcuno che gli appartiene, ma dall'esterno, da un estraneo.

V

Ma la storia può essere letta in modo differente. Se c'è una lettura leninista, c'è anche, come ho già notato, una lettura social-democratica del testo che mette in luce la tortuosità della marcia, vede in Mosè il pedagogo del popolo e il suo difensore davanti a Dio e cerca di minimizzare l'incidente del vitello d'oro. Mosè è capace di adirarsi, ma è anche l'incarnazione della gentilezza: un "uomo sanguinario", ma anche l'"umile" Mosè. "Ora, Mosè era molto umile, l'uomo più umile di questo mondo" (Numeri 12:3). In una delle ribellioni contro la sua autorità, i capitribù Datan e Abiram accusano Mosè di voler "fare il principe assoluto" (Numeri 16:13). Ma Mosè in realtà non governava da principe assoluto; spesso viene ritratto nell'atto di discutere con il popolo, proprio come usava fare con Dio; in entrambi i casi, non sempre riusciva a spuntarla. Aveva anzi più successo con Dio che con il popolo; ed è da notare che i quarant'anni di deserto sono una vittoria per Mosè. Quando gli Israeliti raggiungono il Negev, il deserto a sud di Canaan, mandano degli esploratori nella terra promessa e il rapporto è terrificante: gli abitanti sono grandi e potenti come dei giganti, "di fronte a loro ci pareva di essere delle locuste, e tali noi sembravamo a loro" (Num. 13:33). E allora il popolo mormora nuovamente contro Mosè e vuole "un capo per tornare in Egitto" (Num. 14:4). Ancora gli Israeliti furono "presi da grande paura", nel deserto come davanti al Mar Rosso; ancora erano schiavi degli Egiziani, nonostante la grande distanza che ormai li divideva dai loro vecchi padroni. Dio, come al solito, è furioso e pronto ancora una volta a distruggere il popolo, ma Mosè intercede e Dio stabilisce di rimandare di quarant'anni l'ingresso nella terra promessa. Il termine è scelto di proposito: perché nel deserto muoiano di morte naturale tutti gli Israeliti che avevano più di venti anni al momento della fuga dall'Egitto (si considera qui il termine naturale della vita degli uomini a 60 anni, mentre a Mosè è garantita una vita doppia). Questa è secondo Lincoln Steffens la lezione politica principale dell'Esodo: "gli adulti devono morire". E così egli interpreta il testo: "il Signore Iddio si disfece dell'intera generazione di Israeliti che furono schiavi in Egitto".[50] Ma da Numeri 14 e dalle altre descrizioni delle mormorazioni degli Israeliti, risulta che solo una parte del popolo viene uccisa. La maggior parte degli schiavi sopravvive e alleva una nuova generazione di giovani nati liberi.

Mosè insegna a questa generazione le leggi e i rituali della nuova religione di Israele. Egli accetta il consiglio di Jetro, lascia la gestione quotidiana del potere ad altri e assume per se stesso un nuovo incarico: "istruire il popolo intorno agli statuti e alle leggi, spiegargli la via per la quale deve camminare e le opere che deve fare" (Esodo 18:20). Così è ricordato Mosè nella tradizione interpretativa ebraica – non come un principe assoluto, o un giudice, o un "fondatore" (anche se ad Alessandria nel primo secolo Filone lo definisce "il miglior legislatore di tutto il mondo, migliore nei fatti di tutti quelli che ebbero i Greci e i barbari", e Machiavelli e Rousseau manifestano un'analoga stima). [51] Per gli Ebrei Mosè è un profeta e un maestro, *Moshe rabenu*, Mosè il nostro rabbino. [52] Il suo insegnamento ebbe successo, ovvero, riuscì a trovare ottimi allievi e a trasformare gli allievi in maestri: "E questi comandamenti che oggi ti dono, rimangono ben impressi nel tuo cuore, insegnali ai tuoi figli ..." (Deut. 6:6-7). Il risultato è che gli Israeliti davanti al Giordano sono completamente diversi dagli Israeliti davanti al Mar Rosso: sono finalmente pronti a lottare. In uno dei suoi ultimi discorsi Mosè può dire:

> Quando andrai alla guerra contro i tuoi nemici e vedrai cavalli e carri e gente in maggior numero di te, [frase che ricorda l'esercito del Faraone davanti al Mar Rosso] non aver timore di loro, perché il Signore Iddio tuo, che ti fece uscire dall'Egitto, è con te. (Deut. 20:1)

Si ha davvero l'impressione che il popolo non abbia paura. Gli Israeliti non si considerano più "locuste"; sono una "società politica" unita e sono fedeli al patto che li lega. Questo è il risultato di quarant'anni nel deserto.

Ebbero più importanza le purghe o l'insegnamento? Si può leggere il testo in entrambi i modi; ed è per questo che è stato letto così a lungo e così spesso. Con gli anni l'Esodo è stato utilizzato con maggior frequenza da chi voleva imitare i Leviti sotto il Monte Sinai e sottomettere con la forza o uccidere i nemici all'interno dell'accampamento rivoluzionario. Costoro hanno bisogno di giustificazioni storiche o religiose. Io credo che prima o poi fosse una necessità sconfiggere la controrivoluzione per lasciarsi davvero alle spalle la schiavitù egiziana. È tuttavia importante notare che la controrivoluzione aveva radici profonde, come risulta dal testo; e non poteva essere vinta solo con la forza. In effetti, Dio e i Leviti avrebbero potuto facilmente uccidere tutti i nostalgici delle pentole di carne (o degli idoli) d'Egitto. Ma allora i Leviti sarebbero arrivati nella terra promessa virtualmente soli, e così sarebbe stata tradita la promessa. La promessa riguardava tutto il popolo e il popolo ha bisogno di passare con gradualità dalla schiavitù alla libertà.

Il ritratto del popolo israelita nel testo è quello di un popolo duro, ostinato, ma non esageratamente servile; Dio stesso lo definisce "un popolo testardo" (nell'episodio del vitello d'oro). Gli Israeliti non sono dunque codardi e in fondo l'ostinazione, anche davanti a Dio, non è una qualità completamente negativa. Più che una massa di schiavi, spesso gli Israeliti sembrano uomini e donne comuni, recalcitranti di fronte all'invito di Dio ad essere qualcosa di più. Infatti lo scopo di Dio non è solo quello di condurre il suo

51

popolo nella terra promessa. La promessa di Dio è complessa —
come cercherò di dimostrare nel capitolo 4 — e non riguarda solo
il latte e il miele; la resistenza del popolo è anche una difesa, come
è bene illustrato da una storia midrascica. Quando agli Israeliti fu
concesso di lasciare la montagna sacra, riferisce la storia, essi si
alzarono per tempo, piegarono le tende, presero le loro cose e
marciarono più velocemente possibile — non per un giorno,
com'era stato loro ordinato, ma per tre giorni. Essi non volevano
altre leggi. [53] È una storia interessante; ci si può riconoscere in essa,
anche se non si è mai vissuto, o si pensa di non aver mai vissuto,
in Egitto. Voglio aggiungere solo una cosa: quando gli Israeliti se
ne andarono dalla montagna, marciarono verso la terra promessa,
non a ritroso verso l'Egitto. Avevano una loro visione di una vita
migliore, e qualche volta anche il coraggio per tentare di realiz-
zarla. Ecco perché, come disse il rabbino Eliezer, essi furono in
grado innanzitutto di marciare nel deserto, e poi di accettare
l'alleanza del Sinai. Non c'è spazio per l'alleanza nell'interpretazione hegeliana e leninista dell'Esodo; è invece centrale nella
tradizione ebraica e in una vasta corrente del pensiero rivoluzionario posteriore. E se gli Israeliti erano troppo "testardi" per
adempiere a tutte le prescrizioni, lo erano anche per dimenticare
completamente l'alleanza.

3. L'alleanza: un popolo libero

I

Il grande paradosso dell'Esodo, e di tutte le lotte di liberazione successive, è la volontà e insieme la riluttanza del popolo a lasciarsi l'Egitto alle spalle. Desidera ardentemente la libertà; ma al tempo stesso vuole sfuggire alla sua nuova libertà. Vuole nuove leggi, ma non troppe. Contemporaneamente accetta e si ribella alla disciplina imposta dalla marcia. Il testo biblico narra questa storia paradossale con una franchezza non facilmente riscontrabile nella successiva letteratura della liberazione. Fin qui mi sono limitato a insistere su un aspetto del paradosso, la ribellione, le mormorazioni contro Dio e Mosè, che iniziano già in Egitto e continuano, in modo ricorrente, negli anni del deserto. Si dice che la resistenza popolare sia stata generata dal servilismo degli Israeliti; oppure dalla "dura cervice", dalla cocciutaggine del popolo. Dopo tutto, l'Esodo sarebbe molto differente se il popolo si fosse limitato a trasferire la sua obbedienza servile dal Faraone a Dio. Ma il servire Dio è molto diverso dalla schiavitù (anche se la parola ebraica è la stessa). Questa è la differenza: la schiavitù fu imposta e mantenuta con la forza, il servizio di Dio iniziò e fu tenuto vivo da un'alleanza.

L'alleanza è l'invenzione politica del Libro dell'Esodo. Alcuni studiosi moderni hanno esplorato nei minimi dettagli le similitudini strutturali e linguistiche fra l'alleanza del Sinai e l'"omaggio feudale" con il quale il vassallo riconosceva l'autorità del suo signore. [1] Queste indagini, illuminanti e interessantissime, servono a inquadrare l'Esodo nella storia del suo tempo. Riguardano però solo la struttura e il linguaggio; dicono poco sul contenuto dell'alleanza e sui suoi contraenti. Non esistono precedenti di patti fra

Dio e un intero popolo e di trattati le cui condizioni siano le stesse leggi della moralità. Concentrandomi sull'alleanza, sarò in grado di spiegare come la renitenza del popolo e l'attivismo dell'avanguardia, le mormorazioni e le purghe siano solo una parte della storia dell'Esodo. Nella strategia narrativa dell'autore (o del compilatore definitivo), è fondamentale che le purghe vengano dopo l'alleanza, anche se le mormorazioni erano iniziate molto prima. È la volontà popolare, non la volontà di Dio, a fornire la giustificazione ultima delle purghe.

Esiste una tradizione, a cui allude il profeta Ezechiele (20:8) secondo la quale la punizione di Dio sarebbe iniziata in Egitto come risposta alle prime mormorazioni. [2] Ma questa interpretazione non trova riscontro nella narrazione biblica. Dio non è come il Faraone! Mosè, certo, cerca il consenso degli Israeliti alla loro liberazione (Esodo 4:29-31), ma il consenso di uno schiavo non è moralmente vincolante. Quando il popolo, impaurito e scoraggiato, fa marcia indietro, Dio non lo ritiene responsabile. Per le lamentele in Egitto, per il desiderio di tornare indietro una volta giunti al mare e per le prime mormorazioni nel deserto, gli Israeliti restano impuniti: non si erano infatti ancora impegnati ad accettare i comandamenti di Dio. L'alleanza viene in un secondo momento, quando il popolo ha già assaporato la libertà e ha marciato fino alla montagna sacra. A metà fra l'Egitto e la terra promessa arriva il momento di prendere una decisione. Per Spinoza la libertà degli Israeliti è, fino a questo momento, la libertà dello stato di natura. [3] La libertà naturale è l'immediata conseguenza dell'affrancamento − non solo per gli Israeliti, ma presumibilmente per ogni popolo appena liberato. Ma, poiché la libertà naturale non è una cosa durevole, a essa segue necessariamente un patto di qualche tipo. Data l'organizzazione tribale degli Israeliti e la persistente autorità degli anziani, la versione dei fatti non sembra sociologicamente plausibile, ma da un punto di vista morale è molto significativa. Tutto il popolo, non solo gli anziani, accetta l'alleanza. "Allora il popolo intero rispose: Noi faremo tutto ciò che ha detto il Signore" (Esodo 19:8). Le antiche gerarchie sono sospese; l'alleanza è un solenne impegno preso da uomini liberi.

E anche dalle donne: stando al Midrash, Dio sul Sinai ricorda l'errore da lui stesso commesso nell'impartire il primo divieto relativo all'albero della conoscenza solo ad Adamo e non a Eva. "Se adesso non mi rivolgo *prima* alle donne, esse priveranno la Torah di ogni valore." [4] L'alleanza del Sinai riguarda tutti. Il capitolo 19 dell'Esodo dice semplicemente: "il popolo intero rispose ...", ma il Deuteronomio aggiunge:

Oggi voi siete comparsi tutti quanti davanti al Signore, Iddio vostro: i vostri capi di tribù, i vostri anziani, i vostri scribi, tutti gli uomini di Israele, i vostri bambini e le vostre mogli e lo straniero che è in mezzo al tuo accampamento, da colui che ti spacca la legna a colui che attinge la tua acqua, affinché tu entri nel patto del Signore, Iddio tuo ... patto che oggi il Signore, Iddio tuo, stringe con te, affinché in te si costituisca un popolo ... (29:10-13)

L'alleanza è un atto di fondazione, che crea, parallelamente alla vecchia organizzazione tribale, una nazione di membri coscienti. In Egitto gli Israeliti sono un "popolo" perché hanno in comune memorie tribali, o, più importante, perché spartiscono l'esperienza dell'oppressione. (È il Faraone il primo a usare la parola "popolo" riferendosi agli Israeliti.) La loro identità, come quella di tutti gli uomini e le donne prima della liberazione, non è però frutto di una loro libera scelta. Solo con l'alleanza gli Israeliti diventano un popolo nel vero senso della parola, un popolo capace di dar forma alla sua storia politica e morale, capace di ubbidienza e resistenza tenace, in grado di marciare in avanti e di scivolare all'indietro. Ecco l'importanza dell'alleanza e quindi la necessità di riflettere sul suo preciso carattere.

Nei racconti tradizionali e nelle elaborazioni folkloriche che hanno come argomento l'Esodo, l'alleanza è vista spesso come una specie di contrattazione, e Dio un po' come un venditore ambulante che cerca di piazzare i suoi comandamenti e che, dopo molti tentativi non riusciti, incontra infine il popolo di Israele. [5] Se Israele, in una versione della storia, fu pronto ad accettare i comandamenti, in un'altra dovette essere persuaso, e non solo con le promesse. Perché, si chiede un antico Midrash, Dio non iniziò la Torah proclamando la Sua legge? La risposta è contenuta in una parabola politica. È un po' come se un

> re, entrato in una provincia, dicesse al popolo: Posso essere io il vostro re? E il popolo gli rispondesse: Hai forse fatto qualcosa di buono per noi, tu che vuoi governarci? Allora lui cosa fa? Costruisce per loro un muro tutt'intorno alla città, porta loro molte provviste e combatte le loro battaglie. Poi, quando per la seconda volta domanda: Posso essere io il vostro re? Il popolo risponde: Sì, sì. Dio ha fatto altrettanto. Condusse gli Israeliti fuori d'Egitto, divise il mare per loro, mandò giù la manna per loro ... [e] combatté per loro la battaglia contro Amalec. Poi disse loro: Io sarò il vostro re. Ed essi risposero: Sì, sì. [6]

L'uomo chiede se può diventare re, Dio non ne ha bisogno. Tuttavia il racconto del commentatore è un richiamo alla forma dei trattati antichi, che iniziano sempre con la lista di benefici concessi, e illumina sullo spirito del preambolo ai comandamenti: "Io sono il Signore, Iddio tuo, che ti ha fatto uscire dal paese d'Egitto, dalla casa di schiavitù" (Esodo 20:2). La stessa importanza ai favori di Dio è data in un sermone del 1642 davanti alla Camera dei Comuni nel quale si sollecita una nuova alleanza:

> L'esperienza di Israele, così come è riferita nei Sacri Testi, è per noi di

incoraggiamento. Dobbiamo elencare i favori di Dio a questo regno? Chi infatti nell'anno '88 disperse e affondò la flotta spagnola chiamata "invincibile"? Chi spezzò le ossa al complotto papista? ... E chi più tardi compose i pericolosi dissidi fra l'Inghilterra e la Scozia? [7]

Così non si coglie, però, il vero carattere condizionale dell'alleanza, la quale non è subordinata alle passate prestazioni di Dio, ma al futuro comportamento del popolo.

È utile distinguere l'alleanza sul Sinai e le sue successive conferme, dall'alleanza con Noè e Abramo (e poi da quella con David, modellata su quest'ultime). [8] Le prime alleanze erano promesse assolute e incondizionate di Dio. Questa è la promessa ad Abramo: "Ti farò moltiplicare in modo abnorme ... Darò a te e ai tuoi discendenti dopo di te la terra dove abiti ora da forestiero, tutta la terra di Canaan ..." (Genesi 17:6-8). Sul Sinai, invece, le promesse di Dio sono condizionate: "Or dunque, se voi ascolterete la mia voce e osserverete il mio patto, voi sarete mia speciale proprietà fra tutti i popoli" (Esodo 19:5). Le promesse incondizionate hanno un ruolo preciso sia nel pensiero monarchico sia in quello messianico; sono confortanti, ma servono da stimolo all'azione solo per i rappresentanti di Dio — ciò che pretendono di essere re e sedicenti messia. Il ruolo di Mosè come messaggero divino è radicato anche nell'alleanza con Abramo; Dio, prima di parlare con Mosè dal roveto ardente, "si ricorda del suo patto con Abramo, con Isacco e con Giacobbe" (Esodo 2:24). L'affrancamento dalla schiavitù egiziana non è condizionato, non dipende dalla condotta morale degli schiavi; ma il primo affrancamento porta Israele solo fino al deserto. È il momento cruciale della storia dell'Esodo: ai piedi del monte Sinai, Dio rivela le condizioni per ogni ulteriore passo in avanti. Come scrive Saadya Gaon, "il nostro maestro Mosè pensò che non fosse sufficiente esporre la situazione solo al positivo e non disse 'Se manterrete' oppure 'se ascolterete', lasciando al popolo il compito di immaginare cosa sarebbe successo in caso contrario; egli spiegò loro che, in caso non avessero soddisfatto le condizioni, Dio non avrebbe mantenuto le promesse. Invertendo i termini, Mosè spiegò che 'Se invece vi dimenticherete del Signore Iddio ... sarete distrutti come le nazioni che il Signore fece sparire prima di voi' "(Deut. 8:19-20). "Invece," continua Saadya, "Dio non aveva posto condizioni [per le promesse messianiche], e tanto meno aveva invertito i termini." [9] La liberazione messianica aggira il deserto e la montagna.

Questa distinzione avrà la sua parte nella successiva storia rivoluzionaria. Fra i Puritani inglesi, per esempio, si possono riconoscere due gruppi di sacerdoti: i primi si rifacevano a quella che voglio chiamare la "politica dell'Esodo", che trova espressione nell'alleanza del monte Sinai; i secondi alla politica apocalittica e millenarista legata all'alleanza con Abramo (o perlomeno facevano dei tentativi in questa direzione). "Nell'una," scrive John Wilson in uno studio sui sermoni politici degli anni fra il 1640 e il 1650, "l'iniziativa umana era invitata a corrispondere ai voleri divini; nell'altra si celebrava l'indipendenza dell'iniziativa divina dalle azioni umane."[10] Un simile contrasto determina il carattere politico della teologia della liberazione nell'America latina contemporanea. Qui l'accento è sulle proposte pratiche della politica dell'Esodo, mentre i riferimenti millenaristi sono relativamente trascurati, a dispetto delle convinzioni cristiane dei teologi della liberazione. Avrò qualcosa da aggiungere su queste due tendenze nel prossimo capitolo e poi ancora nella conclusione. Quello che mi interessa ora è l'indole che deve avere l'agire umano per corrispondere ai voleri divini.

Di chi è l'alleanza? Quando i Leviti si stringono attorno a Mosè ai piedi della montagna intendono in questo modo affermare che l'alleanza è loro. L'appello ai volontari − "Chi è per il Signore? ... A me!" − è infatti un aspetto tipico della politica dell'alleanza. Il sacerdote Mattatia, agli inizi della rivolta dei Maccabei, fa un richiamo esplicito a Esodo 32: "Chiunque ha zelo per la legge e conferma l'alleanza, venga dietro a me" (1 Maccabei 2:27). Ma i Leviti sono solo i guardiani dell'alleanza e i Maccabei solo i suoi difensori. L'alleanza poggia su basi più ampie; se fosse altrimenti non potrebbe essere né imposta né difesa. Al Sinai, tutto il popolo l'aveva accettata e non per rappresentanza o procura, ma ognuno individualmente e con la propria voce. Quando a Sichem il popolo riconferma l'alleanza, sembra trattarsi più di un'unione di capi-famiglia che di individui, almeno è questo che il testo lascia trasparire. Giosuè dice al popolo : "Se poi non vi piace servire il Signore, scegliete pure oggi chi preferite servire ... quanto a me e alla mia famiglia, noi serviremo il Signore" (Giosuè 24:15). Tuttavia, nei commentari dei capitoli 19 e 24 dell'Esodo, i rabbini tornano con sorprendente insistenza sul carattere individualistico dell'alleanza e sull'evidenza del consenso popolare. L'alleanza rispecchia quella che si potrebbe definire la volontà generale degli Israeliti, fondata, come nella migliore tradizione rousseauiana, sulla volontà di individui indipendenti e non in comunicazione fra loro.

E allora il popolo intero rispose (Esodo 19:8). Non diedero una risposta ipocrita, non si copiarono l'uno con l'altro, ma ognuno di loro decise per sé nell'identico modo e tutti dissero: "Noi faremo tutto quello che ha detto il Signore." [11]

È chiaro, inoltre, che il popolo comprese le clausole dell'alleanza; il consenso non era incondizionato: "tutto quello che *ha detto* il Signore ...". Anche questo è stato puntualizzato dai rabbini. Uno di loro scrive che prima che fosse stretta l'alleanza "Mosè lesse al popolo a voce alta tutta la Torah [non soltanto i dieci comandamenti, ma l'intero Pentateuco] così che tutti sapessero esattamente la responsabilità che si stavano prendendo." [12]

Il popolo avrebbe potuto decidere diversamente, anche se Dio si sarebbe probabilmente meravigliato di una decisione diversa. L'alleanza introduce nella storia dell'Esodo un volontarismo radicale che contrasta con il racconto del primo affrancamento – quando Dio, assoluto e onnipotente, prende le decisioni e il popolo, come scrisse Hegel, non fa nulla da solo. Hegel non fa menzione di quello che succede nel Sinai, quando è il popolo a decidere. Questa miscela di intenzionalità divina e scelta popolare, di provvidenza e alleanza, di determinismo e libertà è la caratteristica della politica dell'Esodo, e anche della politica rivoluzionaria e radicale più recente in tutte le sue versioni. Nei Puritani si nota chiaramente: la loro teologia dell'alleanza, modellata sull'Esodo, è difficilmente compatibile con la teologia delle predestinazioni; eppure le due teologie coesistettero per un lungo periodo di tempo. [13] L'idea dell'elezione divina (o dell'inevitabilità storica) è forse lo sfondo necessario di ogni politica radicale. Chi potrebbe prendersi i rischi richiesti dalla situazione, chi potrebbe marciare nel deserto o sfidare i "giganti" di Canaan, senza confidare nel futuro? Nello stesso tempo, prendere delle decisioni e assumersi dei rischi genera le idee ben differenti di adesione e consenso. In ogni caso, nel Sinai, il popolo decide e questo significa che ha ora quello che sembrava gli mancasse in Egitto: la capacità di decisione. Il popolo è ora dotato non solo di una libertà naturale, ma anche di libero arbitrio.

"Tutto sta nelle mani di Dio," dice una famosa massima talmudica, "eccetto il timore di Dio." [14] La vita morale dell'umanità, e perciò anche la sua vita politica, è interamente nelle mani dell'uomo. E nel momento in cui è chiamato a essere responsabile della propria vita, il popolo non si mostra vigliacco né pavido, ma coraggioso. Nel Sinai il popolo incarna la parte migliore dell'Uomo. Così scrive Saadya, citando la versione deuteronomica dell'alleanza: "Dio ... diede all'uomo la capacità di obbedirgli e la responsabilità delle sue azioni, lo dotò di potere e libero arbitrio, e gli comandò di scegliere quel che è giusto ..." [15] Potere e libero arbitrio sono doni di Dio – diversi dal dono specifico dell'affrancamento – che danno all'Uomo la possibilità di cooperare, se non proprio alla sua stessa liberazione, almeno al lungo lavoro necessario per rendere la libertà permanente. Saadya, certo, direbbe che l'Uomo è libero solo nella cooperazione: tornare in Egitto equivarrebbe a tornare in schiavitù. Ecco ancora la dottrina della libertà concreta, per niente un'invenzione del *Contratto Sociale* di Rousseau, ma un aspetto costante della teologia dell'alleanza. In un discorso di John Winthrop (il Mosè americano, secondo Cotton Mather) del 1645 è ben illustrato il passaggio dalla sua versione teologica a quella politica. Winthrop sta attaccando i suoi oppositori che dovevano apparirgli come i mormoratori del Nuovo Mondo, e durante il suo attacco espone una teoria della libertà e del dovere:

> Chiamerò civile o federale l'altro tipo di libertà, che potrebbe essere anche definita morale, in riferimento all'alleanza fra Dio e uomo, nelle leggi morali, nei patti politici e nelle costituzioni che gli uomini si danno. Questa libertà è il giusto fine e lo scopo dell'autorità e non può sussistere senza di essa. È una libertà che appartiene solo a chi è giusto, buono e onesto. [16]

L'ultima frase può stupire, ma forse vuole dire solo che gli uomini e le donne che di fronte alla scelta deuteronomica "io pongo davanti a te la vita e la morte" (30:19) scelgono la morte, non eviteranno la punizione (non eviteranno quello che loro stessi hanno scelto). Ha senso la punizione perché essi hanno scelto liberamente. In questo senso anche i cattivi sono liberi, anche se non godranno di una libertà duratura: non resteranno impuniti. Ma quello che è importante qui, nella storia dell'Esodo, nei commentari filosofici di Saadya e nel discorso di Winthrop, è la convinzione che il popolo sia capace da solo di scegliere la vita e poi di agire in accordo con la legge morale. Il popolo è in grado di promettere e di mantenere le sue promesse. Naturalmente, gli Israeliti o almeno molti di loro non manterranno la promessa, la storia successiva di Israele sarà la storia del "peccato" e della punizione divina. È tuttavia la diffusa convinzione che il popolo sia capace di agire bene a legittimare e a rendere comprensibile la punizione. Gli agenti umani dell'alleanza sono, in termini filosofici contemporanei, *agenti morali*.

II

L'alleanza in sé è descritta nel Libro dell'Esodo solo in modo succinto; rimane uno spazio molto ampio all'immaginazione teologica e poi politica. Il testo, comunque, pone alcuni problemi. Non è un caso che i commentari rabbinici anticipino, con il loro linguaggio, i temi centrali delle prime teorie moderne del consenso. I patti sociali e parlamentari del XVI e XVII secolo hanno origine nella letteratura sull'Esodo; è lì infatti che per la prima volta si afferma l'idea che i doveri e la fedeltà sono radicati nel consenso di ogni singolo individuo, né potrebbe essere altrimenti. È anche possibile rintracciare le influenze del giuramento feudale e del complesso sistema di vassallaggio sulla posteriore teoria del contratto; molti storici lo hanno fatto. [17] La linea principale, tuttavia, quella tracciata più spesso nei trattati e negli opuscoli radicali, congiunge direttamente l'alleanza al contratto. Questo non significa che tutti i rivoluzionari del XVII secolo conoscessero le interpretazioni rabbiniche ma che gli stessi testi biblici originavano idee politiche e religiose simili. Consideriamo, per esempio, il dibattito rabbinico sul numero di alleanze strette nel Sinai. Un rabbino ne contava 603.550, un'alleanza per ogni uomo adulto (le donne qui sono escluse) che si era impegnato con Dio. Ma un altro sosteneva che ognuna di queste 603.550 alleanze fosse da moltiplicare 603.550 volte: gli uomini non si erano solo impegnati con Dio, ma anche con tutti gli altri uomini. "Il problema principale in discussione" disse il rabbino Mesharsheya, "è la responsabilità per se stessi e nei confronti degli altri." [18] L'obbligo del singolo individuo è solo quello di osservare le leggi, o quello di garantire che le leggi siano osservate collettivamente? L'obbligo è di agire con giustizia o di garantire che giustizia sia fatta? La seconda posizione ha implicazioni più radicali ed è questa che avrà la maggiore influenza sul pensiero politico secolare. La formulazione vincente combina le due posizioni rabbiniche sostituendo a Dio il popolo visto nel suo insieme. Così è scritto nel preambolo alla costituzione del Massachusetts nel 1780: "Il corpo politico è formato da un'associazione volontaria di individui: è un accordo sociale attraverso il quale l'intero popolo stringe un'alleanza con il singolo cittadino e il singolo cittadino con il popolo intero ..." [19] Ogni cittadino ha quindi il diritto, e forse il dovere, di preoccuparsi delle azioni del "popolo intero".

Da un'alleanza di questo tipo consegue che tutti gli individui che l'hanno sottoscritta sono, da un punto di vista morale, uguali. "Esiste," nelle parole di un moderno studioso del testo biblico, "una fondamentale parità di status nei confronti di Jahvé, o per dire le cose in altri termini, una parità di responsabilità." [20] Lascerò per il prossimo capitolo le conseguenze sociali dell'uguaglianza che ha origine nell'alleanza, quando analizzerò il significato della frase: "un regno di sacerdoti e gente santa". Qui voglio solo descrivere come i singoli individui che hanno stretto l'alleanza, e non la casta dei sacerdoti, succedano a Mosè nel ruolo di insegnanti della Legge e si assumano la responsabilità della continuità dell'alleanza. La continuità è un tema centrale della teoria del consenso, come anche della letteratura sull'Esodo, a cominciare dalla versione deuteronomica dell'alleanza, il primo commentario. Il successo di Mosè consiste nell'aver trovato i suoi successori fra i molti e non in una minoranza. La stessa competenza che mette in grado il singolo di accettare individualmente l'alleanza, lo mette in grado di introdurre i propri figli alle clausole dell'alleanza. E fa questo "ricordandosi" della storia dell'Esodo:

E quando, in avvenire, tuo figlio ti domanderà: Come mai il Signore, Iddio nostro, vi ha dato queste istruzioni [in ebraico *êdoth*, letteralmente "patti", un termine alternativo per indicare l'alleanza], queste leggi e queste prescrizioni? Tu gli risponderai: Eravamo schiavi del Faraone in Egitto, ma il Signore ci trasse dall'Egitto con la sua potenza. (Deut. 6:20-21)

C'è qui una difficoltà filosofica espressa dall'uso dei pronomi. Il figlio domanda il motivo delle leggi che Dio *"vi ha dato"*, escludendosi dall'obbligo di ubbidire. Il padre risponde: "[Noi] eravamo schiavi del Faraone ..." includendo il figlio nella storia dell'alleanza. Come, in realtà, si tramanda il consenso di padre in figlio? Come si può mantenere il volontarismo radicale del periodo rivoluzionario? Non semplicemente esponendo la storia dell'Esodo ai figli, ma incoraggiandoli a rivivere con l'immaginazione il momento dell'affrancamento. L'incoraggiamento è esplicito nella Haggadah: "Bisogna che ogni uomo, di ogni generazione, consideri *se stesso* esule dall'Egitto." [21] Nel Deuteronomio Mosè è ancora più esplicito ed evita la forma ipotetica: "Il Signore, Iddio nostro, fece questo patto non con i nostri padri, ma con noi, che siamo qui oggi tutti quanti ancora in vita" (5:3). E ancora, in un passo molto commentato: "Ed io non soltanto con voi faccio oggi questo patto ... ma lo faccio sia con colui che sta qui oggi con noi ... sia con colui che non è qui oggi con noi" (29:13-14). Questo presuppone che rivivere con l'immaginazione l'esperienza dell'Esodo abbia sempre l'effetto di rinnovare l'impegno in ogni successiva generazione. E se questo non succedesse? Mosè si pone il problema nel suo ultimo discorso deuteronomico. Che cosa accadrebbe se fra il popolo dovesse esserci "un uomo, una donna, una famiglia che distoglie il suo cuore dal Signore?" La risposta è chiara: "Il Signore non perdonerà a costui, ma l'ira del Signore e la sua gelosia s'infiammeranno contro quell'uomo ... "(29:17-19). In Spagna, negli anni precedenti all'espulsione, quando molti Ebrei "distolsero i loro cuori" dall'alleanza, questi temi tornarono d'attualità e fu posta l'ovvia domanda: "Chi ha dato alla generazione del deserto radunata ai piedi del Monte Sinai il potere di obbligare tutti coloro che sarebbero venuti dopo di loro? ... Questo obbligo non è certamente legittimo." [22]

Il filosofo spagnolo Don Isaac Abravanel risponde a questa domanda con un'argomentazione molto vicina alla futura teoria del tacito consenso. Il servire Dio è un impegno permanente, insiste Abravanel, perché gli Ebrei permanentemente godono dei frutti del servizio di Dio, la libertà dall'oppressione egiziana, la legge morale e la terra promessa. [23] Erano questi strani argomenti per un popolo che viveva in esilio e veniva perseguitato con crudeltà. Io suppongo che Abravanel pensasse, e forse aveva ragione di pensarlo, che la vita familiare e comunitaria degli Ebrei avesse preservato in qualche modo i tre doni divini – e che questo fosse sufficiente a mantenere l'impegno dell'alleanza. "Non possiamo paragonare il nostro esilio alla schiavitù egiziana" scrive un commentatore della Haggadah. "L'affrancamento dalla schiavitù del Faraone fu definitivo, e noi ottenemmo ... una libertà eterna, suggellata dal dono della Torah." [24] La partecipazione a quella che uno studioso moderno chiama la democrazia religiosa decentralizzata di Israele, dove ogni adulto (o almeno ogni maschio adulto) è l'interprete della Torah all'interno della sua famiglia, costituisce un implicito rinnovo dell'alleanza. [25] Non è ancora chiaro, però, che ragione morale — visto che la gelosia non è di per sé una ragione morale — abbia Dio di punire "il figlio malvagio" che si discosta dalla "linea" della sua famiglia. Il tacito consenso funziona solo per uomini e donne che davvero godono dei doni divini e che sono davvero convinti di essere stati affrancati.

Ma forse dovremmo leggere questi passi del Deuteronomio come argomenti a favore del consenso ipotetico più che tacito. Il padre invita il figlio a chiedersi cosa avrebbe fatto lui se si fosse trovato ai piedi del monte Sinai e poi a essere coerente con la sua risposta. Naturalmente il figlio si dovrà immaginare da poco affrancato dalla schiavitù, mentre si nutre di manna, testimone diretto della teofania. Come potrà fingere che lui, che non solo è libero, ma anche razionale e moralmente competente, avrebbe risposto "no"? Sono incline a preferire un argomento che si basa sulla chiarezza del presente, piuttosto che sul passato, ma anche questa è una spiegazione plausibile del testo deuteronomico (o della Haggadah). Ma sul punto principale le due versioni concordano: comunque si risolva, il problema della continuità deve essere risolto da individui liberi e uguali, che sono in grado di giudicare in prima persona l'alleanza e i testi relativi. Quando Mosè porta le tavole dalla montagna (per la seconda volta), le passa direttamente al popolo e non, vale la pena di ripeterlo, alla casta dei sacerdoti. Questo è il significato del passo che ho citato alla fine del capitolo scorso:

> E questi comandamenti che oggi ti dono, rimangono ben impressi nel tuo cuore: insegnali ai tuoi figli, parlane loro e quando te ne stai in casa tua e quando cammini per via e quando ti corichi e quando ti alzi. (Deut. 6:6-7)

Forse si potrebbe dire semplicemente che l'alleanza è portata avanti da un fiume di parole: discussioni e analisi, amplificazioni folkloriche, interpretazioni e reinterpretazioni. Periodicamente, però, l'alleanza viene rinnovata collettivamente.

Il volontarismo radicale del racconto biblico è difficilmente contenibile nelle dottrine del consenso tacito o ipotetico. Nei momenti di crisi il popolo deve riunirsi per riaffermare il suo impegno. Queste riaffermazioni non hanno un carattere esclusivamente rituale, il loro scopo non è quello di rievocare la magica efficacia dell'alleanza originale. Sono invece atti morali; il loro scopo è di rinnovare l'impegno personale e collettivo. Ho già accennato all'alleanza a Sechem, che segna l'arrivo definitivo del popolo d'Israele nella terra promessa. Dopo quattrocento anni la riforma religiosa di re Giosia, della quale lo stesso Deuteronomio è il manifesto programmatico, inizia con un nuovo impegno preso dal popolo in modo pubblico e esplicito. "Tutto il popolo, piccoli e adulti" si riunirono a Gerusalemme e il giovane re "lesse loro tutto il libro dell'alleanza ... E tutto il popolo acconsentì al patto" (2 Re 23:2-3). E ancora al tempo della rifondazione della nazione ebraica dopo l'esilio babilonese: per sette giorni Esdra lo scriba, insieme con i preti e i Leviti, lesse e spiegò la legge "in presenza degli uomini, delle donne e di quanti erano capaci d'intendere: tutto il popolo era attento alla lettura del libro della legge". E l'ottavo giorno si tenne una "solenne assemblea" nella quale fu pronunciato un sermone storico incentrato in gran parte sull'Esodo e durante la quale fu scritto e firmato un "nuovo patto con Dio". (Nee. 8:3,18; 9:38).

Le nuove alleanze non rappresentano semplicemente la continuità, ma il nuovo inizio dopo un'interruzione: dopo l'apostasia la riforma, dopo l'esilio il ritorno. Le vicende del monte Sinai sono rivissute non nella fantasia, ma nella realtà. Simili riconferme hanno avuto un ruolo importante nella politica protestante e poi in quella secolare. Il primo esempio è stato una ripetizione letterale dell'alleanza del Sinai da parte dei Protestanti. A Ginevra, nel 1537, il trionfo di Calvino e dei suoi seguaci fu celebrato con una cerimonia civica durante la quale i cittadini giurarono di obbedire ai Dieci Comandamenti, oltre che alle leggi della città. Calvino probabilmente non attribuiva molta importanza alla volontà popolare; come riferisce uno storico moderno, la riunione non fu molto allegra: "il popolo, a gruppi convocati dalla polizia, dava la sua adesione". [26] Eppure lo scopo era simile a quello dei compilatori del testo biblico. Calvino cercava di dare alla città la forma di una comunità regolata da un patto, in modo da trasformare i costumi, le abitudini e ogni facile acquiescenza ai modi di vita correnti, con l'esplicito (anche se non entusiastico) consenso dei cittadini.

Questo devono fare riformatori e rivoluzionari e infatti l'alleanza di Ginevra si ripete presto – anche se con riferimenti biblici meno espliciti – nel Mayflower Compact, nello Scottish National Covenant, nel Solemn League and Covenant del 1643, nel Puritan Army's Agreement of the People e nelle costituzioni americane degli anni fra 1780 e il 1790. Sono tutti patti genuini: la loro forza dipende dal consenso di un popolo libero (appena libero!); ognuno ricorda, più o meno da vicino, il momento in cui nel Sinai gli Israeliti dissero: "sì, sì". Non mi sento di condividere appieno l'opinione di un teologo latino-americano della liberazione per il quale l'Esodo "ha un qualche significato solo se sono impegnato in un *attuale* processo di liberazione". [27] Certamente la storia assume nuovi significati per chi è impegnato in un processo di liberazione (o forse questo impegno rende possibile una nuova interpretazione di quello che originariamente l'Esodo aveva significato). Il Sinai è però un modello di coinvolgimento popolare a causa della tradizione di esperienza vicaria che ho descritto. Lo studio della Bibbia porta a una concezione della azione politica come adempimento comunitario: le vicende in Egitto e sul Sinai forniscono un precedente per i tentativi moderni (e contemporanei) di mobilitare gli uomini e le donne per una politica che non abbia precedenti nelle loro esperienze.

III

L'alleanza responsabilizza; è perciò una ragione per l'azione politica. Nel pensiero ebraico la responsabilità che gli individui assumono è vivere in conformità con la legge divina. Gli Ebrei si impegnano a obbedire a Dio — ma anche, almeno secondo un'interpretazione dell'alleanza, a far in modo che Dio sia obbedito. Questa seconda responsabilità serve a spiegare sia il ruolo dei profeti biblici sia l'approvazione del loro ruolo da parte del popolo (e persino, anche se indubbiamente con più riluttanza, da parte dei re giudaici). Dopo l'incidente del vitello d'oro l'impegno rivoluzionario gradualmente si istituzionalizza nel clero aronnita e levita. I sacerdoti non solo celebrano le cerimonie religiose prescritte, offrono sacrifici, recitano le preghiere, e così via, ma conducono anche una vita di purezza rituale secondo il grado di santità richiesto a "gente santa" e a cui la massa degli Israeliti ora non può aspirare. Anche i profeti si sostituiscono alla massa degli Israeliti — Mosè sperava, come vedremo, in un profetismo universale — ma in modo diverso. Mentre i sacerdoti agiscono per il popolo, i profeti richiamano il popolo all'azione; e mentre i sacerdoti fanno presente i requisiti rituali dell'alleanza, i profeti, negando la centralità del rituale, mettono in risalto i requisiti etici. Il clero è l'avanguardia invecchiata, trincerata, privilegiata, conservatrice (ma questo vuol dire che singolarmente i sacerdoti non ritornino all'originale radicalismo dei Leviti: Mattatia era un sacerdote di Modi'in). I profeti subentrano nel ruolo pedagogico di Mosè, anche se il loro insegnamento ha spesso forma di accusa violenta. Essi non si discostano da tutti gli uomini e le donne che insegnano la legge alle loro famiglie: i profeti insegnano la legge alla nazione. Le loro accuse raggiungono i re e i sacerdoti, gli artigiani e i contadini; i profeti difendono l'idea di responsabilità collettiva.

Essere un agente morale non significa agire in modo giusto, ma essere capaci di agire in modo giusto. Gli Israeliti ne sono capaci, ma spesso non sono all'altezza della Legge. Allora si fanno avanti i profeti per ricordare loro gli impegni presi. È un errore pensare che i profeti siano in primo luogo degli innovatori religiosi; non sembra neppure appropriato descriverli come estatici o visionari (anche se qualche volta lo furono) che scompaginano la religione ebraica. I profeti sono riformatori religiosi che espongono i loro argomenti in uno stile conforme alla linearità della politica dell'Esodo: si "ricordano" dell'affrancamento e dell'alleanza, senza perdere di vista le promesse. Gustavo Gutierrez coglie il significato del loro messaggio religioso (e politico) quando scrive che "i profeti, eredi dell'ideale di Mosè, si rivolgevano al passato ... Lì cercavano l'ispirazione per costruire una società giusta. Accettare la povertà e l'ingiustizia era per loro ricadere nella ... servitù in cui viveva il popolo prima della liberazione dall'Egitto". [28] Lo spirito delle profezie traspare con chiarezza in uno dei temi caratteristici del profetismo: il dibattimento fra Dio e il popolo. Ecco un esempio tratto da Michea (6:2-8):

Ascoltate, o montagne, la controversia col Signore, prestate orecchio, o fondamenti della terra, perché il Signore viene a discutere con il suo popolo, entra in giudizio con Israele. Popolo mio, che cosa ti ho fatto? In che ti ho contristato? Rispondimi. Io ti trassi dalla terra di Egitto, ti liberai dalla tua schiavitù ... Gradirà il Signore migliaia di arieti e libagioni di olio a torrenti? Offrirò forse il mio primogenito per il mio delitto, il frutto del mio seno per il peccato dell'anima mia? Ti è stato fatto conoscere, o uomo, ciò che è bene e ciò che da te richiede il Signore. È questo: pratica la giustizia, ama la misericordia [in ebraico *hesed* che sarebbe tradotto meglio con "fedeltà all'alleanza e gentilezza"] e vivi in umiltà col tuo Dio.

Sebbene non sia menzionata qui esplicitamente, è l'alleanza la base della controversia fra Dio e Israele; la evocano la storia e le metafore. [29] Il dibattimento richiede l'esistenza della legge e l'impegno del popolo a osservarla. L'essenza della legge è etica, non rituale: "Poiché io voglio l'amore [ancora *hesed*] più che il sacrificio, la conoscenza di Dio più che gli olocausti" (Osea 6:6).

L'accusa di Dio è diretta contro il popolo nel suo insieme. Anche se fra il popolo c'è chi ha peccato e chi, presumibilmente, no, c'è l'oppressore e l'oppresso, i profeti non cercano di chiamare a raccolta i fedeli o di organizzare un partito. Non cercano volontari, come fece Mosè ai piedi della montagna, al fine di imporre le regole dell'alleanza. Nella loro concezione teologica solo Dio le può imporre e lo fa usando agenti esterni – gli Assiri, i Babilonesi – per sferzare il suo popolo. Eppure la chiamata dei volontari fa parte integrante della storia e assumerà un ruolo importante nella ripresa protestante della politica dell'Esodo. Anche il tema del dibattimento ricomparirà qualche volta, ribaltato. "L'alleanza dà al credente," scrisse il calvinista Samuel Rutherford in *Lex, Rex* (1664), "una sorta di strumento di legge ... per far valere le sue ragioni dinanzi a Dio riguardo alla sua fedeltà ..." Non sono molto sicuro a chi si riferisce l'ultimo possessivo, ma quello che vuole intendere Rutherford è chiaro: chi è fedele all'alleanza ha diritto ai doni promessi da un Dio fedele. Quello a cui si accenna qui è comunque solo "una sorta di strumento di legge", un'applicazione metaforica della teologia dell'alleanza. Rutherford mira, al di là di questo, a un'applicazione pratica: "E ancor di più un'alleanza dà lo spazio per un'azione civile e per i reclami del popolo ...contro un re ..."[30]

L'argomento teologico che legittima "l'azione civile e i reclami" fu elaborato per la prima volta dall'autore di *Vindiciae Contra Tyrannos* più di 70 anni prima che scrivesse Rutheford, durante le guerre religiose in Francia. Nel *Vindiciae* si nota uno sforzo sistematico teso a unificare l'alleanza dell'Esodo con le successive alleanze regali descritte nel secondo libro dei Re. Il patto di Dio con David (2 Sam. 7:1-17) è ignorato; ha infatti l'aspetto di una promessa divina unilaterale, modellata sulla promessa ad Abramo, e costituisce, come ho già suggerito, il perno dell'ideologia monarchica. Ma i re successivi, specialmente nel regno settentrionale, avevano cercato (forse perché occorreva loro), di legittimarsi attraverso un'alleanza di altro tipo. "Allora Joiada [il sacerdote] concluse fra il Signore, il re e il popolo, un patto con cui Israele s'impegnava ad essere il popolo di Dio; come pure fra il re il popolo" (2 Re 11:17). Questo sembra solo un tentativo di inserire il re nell'alleanza del Sinai, e così fu interpretato nel *Vindiciae*. Per quanto riguarda gli impegni del popolo, questo patto, che include il re, è identico all'alleanza del Sinai, quando non c'erano i re. "È la stessa alleanza, le stesse condizioni, le stesse punizioni."[31] Queste somiglianze denotano per l'autore, come per molti commentatori ebrei, la competenza morale del popolo. L'autore poi passa a esporre un nuovo argomento politico (ma del tutto coerente con la teologia dell'alleanza):

È assolutamente certo che Dio non [ha stretto l'alleanza] invano, e se il popolo non avesse avuto la facoltà di promettere e di mantenere le promesse, sarebbe stata una perdita di tempo contrattare o allearsi con lui ...[E perciò] tutto il popolo ...collettivamente e liberamente assume, promette e si obbliga ...e se uno dei due [re e popolo] non osserverà l'alleanza, Dio ha la giusta facoltà di pretendere dal trasgressore l'osservanza completa, più probabilmente dal popolo ...poiché i molti non possono scappare tanto facilmente quanto una persona sola.[32]

L'obbligo di opporsi agli idolatri o ai re malvagi deriva dall'idea che gli uomini e le donne che mancheranno di farlo saranno chiamati a renderne conto direttamente a Dio. Come i soldati del nostro tempo che non obbediscono agli ordini dei superiori perché obbedendo potrebbero essere condannati per crimini di guerra dalla legge internazionale, così chi permette che il re "lo trascini al seguito di dei estranei" è passibile di punizione dal Dio con cui si è impegnato (è l'impegno a rendere "estranei" gli altri dei; sono in ogni caso falsi dei, ma è solo un errore, non un crimine, adorare falsi dei). Il patto fra il re e il popolo, a seconda delle sue clausole, può giustificare l'opposizione – come il carattere di questo o quel comando militare può giustificare l'insubordinazione. Ma è l'alleanza con Dio che fornisce, almeno ai credenti, le motivazioni più forti e determinanti.

Tuttavia, dopo averne individuato le ragioni, l'autore del *Vindiciae* non si mostra propenso ad approvare le azioni conseguenti. Solo i magistrati di grado inferiore, insiste l'autore, possono opporsi all'idolatra o al re malvagio — si pone quindi una qualifica sociale al di sopra di un argomento pattizio. Gli uomini e le donne comuni sono inclusi nell'alleanza solo come vassalli e sottoposti, che hanno nel signore feudale il loro portavoce. Eppure è un punto fondamentale dell'alleanza che ogni persona parli per se stessa. Mosè è un mediatore solo in senso fisico, non in senso morale o spirituale, e al momento della decisione non esiste gerarchia sociale o ecclesiale. La responsabilità è di tutti in eguale misura. Come scrisse uno dei primi radicali puritani, Christopher Goodman, gli uomini e le donne comuni, con il pretesto di attendere l'azione del magistrato, "tolgono la testa dal collare". Ma il collare è l'alleanza, il servizio di Dio, non del Faraone: non è quindi un collare che sia possibile togliersi. Prima o poi condurrà il popolo nel regno finora chiuso dell'azione politica. "E sebbene possa sembrare a prima vista un grande disordine," scrisse Goodman, "che il popolo si incarichi della punizione dei trasgressori, quando i magistrati ...smettono di compiere il loro dovere ...allora Dio passa la spada nelle mani del popolo e direttamente si pone alla sua testa ...".[33]

Ma questo ci riporta alle difficoltà che già ho esaminato nel capitolo precedente. Chi effettivamente impugnerà la spada? I radicali puritani come Goodman e lo scozzese John Knox, suo compagno d'esilio, che non erano più propensi ad attendere l'azione del "popolo" di quella dei magistrati, facevano appello ai fedeli: "Chi è per il Signore? A me!" È così il fedele che si incarica contro il popolo di far rispettare l'alleanza in nome del popolo stesso. Dovrebbe però essere ormai chiaro che i contenuti dell'alleanza possono ispirare una politica differente, più democratica: impegno pubblico, educazione, lamentazioni profetiche e ancora impegno pubblico. Questo processo si regge sulla competenza morale dell'uomo e della donna comuni: è un lento movimento in avanti (a dispetto delle ricadute popolari e della corruzione dei re) nel corso del quale l'avanguardia dei fedeli deve sempre attendere il consenso del popolo. La riforma di Giosia costituisce un utile modello: la lettura della legge e il rinnovo dell'alleanza precedono infatti la repressione dei "sacerdoti degli idoli" e la profanazione degli "alti luoghi" (2 Re 23:2-14). La riforma è ispirata da individui zelanti, fedeli all'alleanza. Questa stessa fedeltà, tuttavia, richiede, prima di marciare in battaglia capeggiati da Dio, che essi si assicurino il consenso del popolo. Come sostengono i teologi della liberazione contemporanei, l'alleanza (anche i Vangeli, direbbero loro) ci richiede non solo di prendere posizione contro l'oppressione, ma anche un'"autentica solidarietà" con gli oppressi. [34]

IV

L'alleanza costituisce un episodio all'interno del più ampio processo di liberazione, un episodio cruciale nella trama dell'Esodo. Per molte generazioni i lettori della Bibbia hanno cercato di far rivivere nella propria coscienza l'alleanza e l'intera storia dell'Esodo. L'alleanza, in particolare, è un'esplicito incitamento all'azione. "Vi siete impegnati: adesso fate ciò che Dio vi chiede." Talora questi uomini e queste donne che non si sono mai riuniti ai piedi del Sinai (o in un altro posto simile) nemmeno nell'immaginazione, sono probabilmente sorpresi a sentirsi dire che al collo portano il collare del Signore. Questa pretesa sembrerebbe adattarsi più a un discorso deterministica che a un discorso volontaristico. Ma quando il popolo torna nuovamente a impegnarsi – non importa se ripetendo un evento della propria storia o della storia altrui – si trasforma in un insieme di uomini e donne liberi. Certo, essendosi impegnati, in un certo senso non sono più liberi, sono vincolati dall'osservanza della legge. Tuttavia, essendosi vincolati spontaneamente, sono *liberamente vincolati*.

Ed è anche possibile trasgredire la legge, come impareranno in fretta a fare. I sorveglianti di Dio non sono come quelli del Faraone: danno maggiore libertà. Probabilmente saranno gli stessi "capi" tradizionali del popolo che, invece di imitare Mosè, disubbidiranno ai comandamenti e incoraggeranno (o addirittura pretenderanno) la disubbidienza. Il ricco e il potente sono corrotti e il popolo è debole e fa in fretta a tornare nella decadenza e nella schiavitù egiziana. Così è scritto nel Libro di Neemia riguardo alla storia dell'Esodo:

> I nostri re, i nostri capi, i nostri sacerdoti, i nostri padri non osservarono la tua legge, incuranti dei tuoi comandamenti e dei tuoi ordini [in ebraico *'edoth*, "patti"] ...E oggi eccoci schiavi, proprio in quella terra che tu avevi dato ai nostri padri ...(9:34-36)

Ma questi schiavi sono anche uomini e donne liberamente vincolati a Dio e per questo capaci, al contrario degli schiavi in Egitto, di intraprendere l'arduo lavoro che li porterà all'affrancamento. Ai tempi di Esdra e Neemia, si trattava di rinnovare l'alleanza e poi di ricostruire la comunità politica e religiosa. In altri tempi l'arduo lavoro per l'affrancamento ha trovato espressione nella politica radicale e d'opposizione – persino in una politica diretta contro re, principi, preti e padri. Non è una politica disinteressata. Il rispetto dell'alleanza da parte del popolo non è fine a se stesso e il popolo non fa il suo dovere perché ciò è giusto. Il popolo rispetta l'alleanza per avere in cambio le cose che Dio ha promesso. Quando decide di riprendere il cammino è perché si mette in marcia verso la terra promessa. È ora di chiederci cosa sia (e dove sia) la terra promessa.

4. La terra promessa

I

Nel primo capitolo di questo libro ho sostenuto che la fine della storia dell'Esodo, la terra promessa, era già presente all'inizio sotto forma di speranza e aspirazione: senza la fine non ci sarebbe potuto essere l'inizio. La domanda più difficile in storie come questa è se la fine è presente alla fine. I figli di Israele giungono alla terra promessa? Beh sì; anche se nella promessa la terra era più attraente che nella realtà. O, meglio, alla fine gli Israeliti si rendono conto che la promessa aveva delle clausole limitative. La terra non sarebbe stata come avrebbe potuto essere finché gli abitanti non fossero stati come avrebbero dovuto essere. La promessa, infatti, ha un carattere duplice e complesso. Dio disse: "Io vi condurrò in una terra dove scorrono il latte e il miele," e anche: "Voi sarete per me un regno di sacerdoti e gente santa." La terra promessa è l'opposto della schiavitù egiziana: libero lavoro dei campi invece del lavoro in schiavitù (in Deuteronomio 11 la libertà e la schiavitù sono associate rispettivamente alla pioggia e all'irrigazione: forse una lontana origine della teoria di Karl Wittfogel secondo cui il dispotismo orientale avrebbe avuto origine dal sistema di controllo delle forniture d'acqua). [1] Il regno è l'opposto della corruzione egiziana: la santità al posto dell'idolatria. Entrambe le promesse richiedono la cooperazione degli uomini. Dio trae gli Israeliti dall'Egitto, ma sono questi ultimi che devono attraversare il deserto, conquistare Canaan e lavorare la terra. Dio dà le leggi che gli Israeliti devono seguire, ma finché le leggi non saranno del tutto osservate non ci sarà il completo possesso della terra. Canaan diventa Israele, ma resta ancora una terra *promessa*.

Il carattere duplice della promessa sembra adattarsi bene a quella che ho definito la lettura "leninista" del testo. Nella sua teoria della rivoluzione Lenin individuò due forme di coscienza: la prima è quella che appartiene alla massa dei lavoratori, la seconda all'avanguardia; e sostenne che le due forme di coscienza spingono verso due distinti obiettivi politici: il primo è il miglioramento delle condizioni di vita (sindacalismo), il secondo è una nuova società (il socialismo). [2] È possibile individuare lo stesso dualismo nell'Esodo; anzi, è stato fatto spesso, e l'interpretazione che ne deriva, anche se in genere non è espressa in termini leninisti, potrebbe facilmente esserlo. La promessa del latte e miele parla alla coscienza degli schiavi in Egitto. Ecco perché è annunciata da Mosè (in realtà da Aronne a nome di Mosè) subito dopo il suo ritorno in Egitto, all'inizio della storia (Esodo 4:30). Essa rappresenta la speranza degli schiavi di poter avere quello che hanno già i loro padroni, ma in una loro terra dove non saranno né schiavi né stranieri. Il latte e miele è un desiderio spontaneo: esprime la speranza di raddolcire vite rese amare dal Faraone. La promessa di santità, al contrario, parla alla coscienza di Mosè e al ristretto gruppo di eletti che gli si stringe attorno nel deserto. Ecco perché è annunciata nel deserto dopo "l'uscita" dall'Egitto (Esodo 19:5-6). La santità è la teoria politica e religiosa dell'avanguardia mosaica, che la insegna al popolo e la difende, se necessario, anche contro il popolo. Essa esprime la reazione dell'avanguardia contro tutto ciò che l'Egitto rappresenta e la concezione della futura vita del popolo di Israele nella terra promessa. Anche se la frase "un regno di sacerdoti e gente santa" non ha riferimenti geografici, ha tuttavia un riferimento temporale. I tempi verbali usati per esprimere la promessa (Esodo 19) sono il futuro e il condizionale. Si potrebbero riferire all'immediato futuro: se *proprio ora* voi ubbidirete alle mie parole e sarete fedeli alla mia alleanza, *subito* voi sarete un regno di sacerdoti. In realtà, però, l'ubbidienza è il fine di una lotta che durerà anni: la santità dista nel tempo come Canaan nello spazio.

Il popolo che sogna il latte e il miele è materialista; Mosè e i Leviti che sognano la santità sono idealisti. Questa è l'interpretazione tipica delle mormorazioni e, più in generale, delle lotte politiche del periodo del deserto. L'interpretazione ha però uno scopo politico: sostenere le posizioni di Mosè e dei Leviti. Il popolo vede e vuole; Mosè ha una visione e ha un programma. O, per usare il linguaggio cristiano, il popolo ha desideri carnali, mentre Mosè, un prototipo di Cristo, intravede un obiettivo spirituale che non può ancora rivelare (o che il popolo non è ancora in grado di comprendere). Le promesse e le profezie, scrive Pascal, "hanno un significato spirituale a cui il popolo era ostile, nascosto sotto il significato carnale che il popolo amava. Se fosse stato rivelato il significato spirituale, le promesse non sarebbero più piaciute al popolo". [3] Io direi piuttosto – nella tradizione ebraica – che il significato "spirituale" fu in effetti rivelato, e almeno a una parte del popolo piacque. La santità aveva i suoi difensori, addirittura i suoi fanatici. Nel testo – sono chiaramente visibili le tensioni create dal duplice carattere della promessa. Ma è errato descrivere queste tensioni in termini di semplice opposizione fra materialismo e idealismo, fra significato carnale e spirituale, fra spontaneismo e alta teoria. Esiste, se mi è consentito dirlo, un idealismo, una spiritualità, un'alta teoria del latte e miele, ed è facile capire – anzi, è suggerito nel testo – che i Leviti erano materialmente interessati alla santità. Dovremo esaminare questi due punti, con più attenzione.

II

La promessa del latte e miele è stata discussa a non finire, prima nei testi biblici, in modo particolare il Deuteronomio e Profeti, che riflettono sull'Esodo, e poi nelle successive interpretazioni religiose e politiche. Le prime riletture sono semplicemente degli ampliamenti. Così dice Mosè al popolo in uno dei suoi discorsi deuteronomici:

Perché il Signore, Iddio tuo, sta per farti entrare in un buon paese: paese di corsi d'acqua e di fonti, di acque zampillanti dalle profondità nelle valli e sui monti; paese di frumento e orzo, di vigne, di fichi e melograni; paese di olivi e di miele; paese nel quale non avrai il pane misurato, e non ti mancherà nulla. (Deut. 8:7-9)

È interessante che Mosè, benché ormai in età avanzata (questo è un discorso pronunciato poco prima della sua morte e dell'ingresso di Israele a Canaan), non prometta di riempire le pentole di carne, e non appaia disposto a fare quest'ultima concessione al desiderio popolare. Tuttavia quello che vuole dire è chiaro: latte e miele stanno per abbondanza materiale; le parole evocano di proposito l'immagine di una terra dove la vita è facile. Ma l'immagine si presta a un'ulteriore elaborazione. Una terra senza scarsità è anche una terra senza oppressione; l'immagine pastorale e agricola della prima promessa si presta a essere intesa in senso morale, come nelle parole di conforto dei profeti. Ne è esempio una visione di Isaia della nuova Gerusalemme:

[Gli Israeliti] fabbricheranno case e vi abiteranno, pianteranno vigne e ne mangeranno i frutti. Non costruiranno perché altri vi dimori, non pianteranno perché altri mangi ... (65:21-22)

Qui il profeta probabilmente si rivolge agli esuli a Babilonia;

assicura loro che un giorno abiteranno ancora nella terra promessa, e questa volta senza il timore dell'invasione straniera. Ma queste parole suggeriscono anche che saranno liberi da ogni schiavitù domestica. Nella nuova Gerusalemme non ci saranno crudeli sorveglianti per assicurare che la gente produca: "godranno del lavoro delle loro mani, non si affaticheranno invano" (65:22-23). La visione di Isaia ha ancora come sfondo il ricordo dell'Egitto, anche se ci sarebbero a disposizione altri ricordi di oppressioni più recenti.

Non è perciò solo una questione di "carne da mangiare ... cetrioli e meloni ... agli e cipolle". La promessa al popolo va più in là di questo; il popolo sogna anche giustizia e libertà. Per lui (come per noi), il materiale e l'ideale, il carnale e lo spirituale non sono facilmente separabili. Nella storia delle lotte di popolo i due opposti si presentano sempre insieme. Prendiamo, per esempio, le parole di un opuscolo radicale dei tempi della rivoluzione inglese, che descrive Canaan come "una terra di grande libertà, la casa di felicità dove, come i figli del Signore, [i figli di Israele] non faticavano ma crescevano in una terra dove scorrevano latte, miele e dolce vino ... senza bisogno di denaro". [4] La parola "felicità" (*happiness*) dà alla promessa un'intonazione tipicamente moderna; appare un po' strano immaginarsi gli Israeliti marciare nel deserto in cerca della felicità. Ma questo è solo perché la parola, come la intendiamo noi, è un po' troppo debole. Al popolo afflitto in Egitto era stata promessa a Canaan la gioia. "E là mangerete davanti al Signore, Iddio vostro e gioirete di tutto quello che le vostre mani avranno portato ... (Deut. 12:7). "Gioia" e "letizia" (*gladness*) sono vocaboli molto usati per descrivere la vita nella terra promessa e poi nelle società postrivoluzionarie. Forse la felicità non è altro che la versione secolarizzata della gioia religiosa. In ogni caso la parola è usata non solo nella Dichiarazione di Indipendenza americana, ma anche nei sermoni sull'Esodo degli anni dal 1770 al 1790 per descrivere gli scopi della rivoluzione americana. [5] (La parola che corrisponde a "santità", come "gioia" corrisponde a "latte e miele", è "virtù".) Devo dire, però, che il concetto di una terra senza denaro non ha origini bibliche; è un'invenzione moderna (o forse tardo-medievale). Non è comunque una elaborazione completamente inattendibile delle idee di giustizia e abbondanza, e avrà lunga vita.

Oggi, in America latina, i preti cattolici che hanno letto Marx, oltre che la Bibbia, descrivono la terra promessa come una società senza "sfruttamento", e rifiutano esplicitamente l'insistenza di Pascal sulla vera carnalità del latte e miele. Così scrive Gutierrez:

In questa affermazione [di Pascal] ... è contenuto un assunto che andrebbe portato alla superficie, per l'esattezza una certa idea dello spirituale caratterizzato da una sorta di [dualismo] ... È uno spirituale "disincarnato" sprezzantemente superiore a tutte le realtà terrene. Il modo giusto di porre la questione non è, a nostro avviso, di porla in termini di "promessa temporale o spirituale". Semmai ... è una questione di parziali realizzazioni attraverso eventi storici liberatori.

La promessa carnale o temporale ha un significato etico che deriva dall'essere rivolta agli schiavi. "Essa presuppone la difesa dei diritti dei poveri, la punizione degli oppressori, una vita libera dalla paura di essere fatto schiavo da altri ..." Trascurare o svalutare questi aspetti del latte e miele in nome dello spirito, significa fraintendere lo spirito. "L'eliminazione della miseria e dello sfruttamento," prosegue Gutierrez, "è un segno della venuta del Regno."[6] Penso che questo sia anche il contenuto profetico della prima promessa dell'Esodo, e che non possa essere ridotto, in termini leninisti, al "sindacalismo" degli oppressi. Dalla porta della speranza si intravede una visione più ampia: non solo l'aumento continuo dei beni, ma l'abbondanza per tutti. Allora ognuno sarà sicuro nei suoi possedimenti e non ci saranno più tiranni sulla terra. "Ciascuno siederà sotto la sua vite e sotto il suo fico, nessuno verrà a turbare la sua pace" (Michea 4:4).

III

Si può tuttavia immaginare un'obiezione levitica a tutto questo: messa così, la liberazione sembra troppo facile. In realtà non basta fuggire dall'Egitto e arrivare a Canaan; la terra promessa non è una terra incantata. Ci sono, in effetti, nel pensiero ebraico alcune tendenze che possiamo definire territorialiste, per le quali il fatto stesso di vivere nella terra promessa è un bene ed è una garanzia della benedizione di Dio. [7] Ma la tesi più profonda dell'Esodo è che l'unica garanzia è la rettitudine. E anche questo dicono i profeti, che non solo mettono in rilievo il significato più ampio del latte e miele, ma anche il carattere condizionale dell'alleanza del Sinai. "Se voi sarete docili e ubbidirete," dice Isaia, "mangerete i beni della terra" (1:19). Per Mosè e i Leviti la meta principale dell'Esodo è la fondazione di un "regno di sacerdoti e gente santa". Solo per gente così la terra promessa manterrà le sue promesse. Portate degli schiavi a Canaan e presto Canaan sarà come l'Egitto. Certo, Dio aveva promesso che Israele sarebbe stato un popolo santo, ma non aveva specificato quando, se subito, il martedì successivo o dopo quarant'anni. Concepita in termini territorialisti la promessa del latte e miele ha un termine temporale: presto o tardi il popolo attraverserà il Giordano ed entrerà nella terra promessa. Concepita in termini etici la promessa è incerta da un punto di vista temporale, dato che la sua realizzazione non dipende dal luogo in cui si andrà ad abitare, ma dal modo in cui si coltiverà lo spirito. Anche qui il contrasto è molto forte. La marcia attraverso il deserto e la conquista della terra promessa richiedono senza dubbio coraggio e solidarietà. La trasformazione della massa di schiavi in un popolo disciplinato (santo) è una necessità politica e religiosa. (E infatti la massima *Niente latte e miele senza ubbidienza a Dio* è plausibile sia da un punto di vista politico che religioso.) Eppure c'è molta differenza a seconda che si attribuisca maggiore importanza al latte e miele o ai comandamenti divini.

Quale è il significato di "un regno di sacerdoti e gente santa"? La seconda promessa è strettamente legata alla prima o, almeno, alla versione estesa della prima — legata in modo ovvio, e poi complesso. Quello che si richiede da gente santa è che ogni membro obbedisca alla legge divina, e gran parte della legge vuole essere un rifiuto della schiavitù egiziana. Fra gente santa nessuno deve opprimere lo straniero, o negare il riposo sabbatico a un suo servo o trattenere la paga al lavorante. Un regno di sacerdoti è un regno senza re (Dio è il re); perciò anche senza Faraoni e sorveglianti. Nessuno ha il potere di "prendere ... i giovani migliori ... e metterli al lavoro". I profeti, nel definire l'idea di "gente santa", denunciano ripetutamente la tirannia politica e l'ingiustizia sociale; ancora una volta, queste due sono difficilmente separabili. Non ho bisogno di citare nessun passo: sono queste probabilmente le parti più conosciute della Bibbia. Voglio solo ricordare nuovamente come le denunce dei profeti risaltino sullo sfondo dell'Esodo, rievocando senza fine immagini di schiavitù e liberazione. La memoria dell'Egitto è un aspetto fondamentale della nuova coscienza nazionale. [8]

Così le due promesse vengono a coincidere: se nessuno fra il popolo santo è un oppressore, allora nessun abitante della terra promessa sarà oppresso. Ma c'è dell'altro da dire sulla seconda promessa. "Un regno di sacerdoti e gente santa" è la versione originale e una delle fonti principali di tutta una serie di programmi rivoluzionari: la santa repubblica puritana, la repubblica giacobina della virtù e anche la società comunista di Lenin. Nessuno di questi programmi è definito adeguatamente dall'ideale negativo della non-oppressione. In nessuno di questi è sufficiente che gli uomini siedano contenti sotto le vigne e gli alberi di fico. Tutti richiedono una partecipazione attiva e intensa alla vita religiosa e/o politica, e lo richiedono non da una parte del popolo, ma da tutti. La promessa del latte e miele implica un tipo di egualitarismo negativo: è l'opposizione alla grossolana ineguaglianza fra tiranno e suddito, fra sorvegliante e schiavo. Il fine della seconda promessa è l'uguaglianza positiva. Nel regno di Dio tutti gli Israeliti saranno sacerdoti; tutto il popolo sarà santo. Ecco perché la formazione del clero levitico dopo "il peccato del popolo con il vitello" rappresentò una sconfitta per le aspirazioni rivoluzionarie. Non è proprio come tornare in Egitto – o almeno non è descritto in questi termini – dato che la realizzazione del regno è solo rinviata, non sospesa. L'opinione di un commentatore era che il regno fosse in realtà esistito per un breve periodo, fra l'alleanza e il vitello. In quel tempo ogni Israelita (o forse ogni primogenito israelita) aveva i privilegi di un sacerdote; poi i privilegi furono ristretti ai Leviti e ai figli di Aronne. [9]

Una volta in atto la restrizione, la seconda promessa apre la strada per un nuovo tipo di opposizione a Mosè e ai suoi primi seguaci. Consideriamo per un momento l'esempio di Eldad e Medad in Numeri 11. Il tabernacolo sorgeva già da alcuni mesi fuori del campo e le riunioni religiose si tenevano solo lì, presiedute da Mosè.

Ma due di quegli uomini erano rimasti nell'accampamento ... Eldad e Medad ... e profetavano in mezzo al campo. Allora un giovane corse a riferire la cosa a Mosè dicendo che Eldad e Medad profetavano in mezzo al campo. E subito Giosuè, figlio di Nun, il servo di Mosè ... rispose e disse: Oh Mosè, signor mio, proibisciglielo. Mosè invece gli rispose: Sei tu geloso per me? Oh, fosse profeta tutto il popolo del Signore. (11:26-29).

Mosè si ricorda della promessa, mentre Giosuè l'ha già dimenticata. Oppure a Giosuè interessa in primo luogo, malgrado la promessa, che sia mantenuta la fragile autorità della nuova leadership religiosa e politica. [10] Comunque viene concesso a Eldad e Medad di profetare e la profezia indipendente rimane un aspetto permanente, anche se spesso precario, della vita religiosa di Israele. Ma la nuova leadership prevale, come nei desideri di Giosuè, e prevale per lungo tempo. La speranza di Mosè è trasformata dal profeta Gioele in una visione dell'età messianica:

E dopo tali cose io diffonderò il mio Spirito su ogni mortale. I figli vostri e le vostre figlie faranno profezie, i vostri anziani avranno dei sogni, e i vostri giovani delle visioni. E anche sui servi e sulle serve ... effonderò lo Spirito mio. (2:28-29)

Tutto il popolo, figli e figlie, vecchi e giovani, padroni e servi saranno santi, *dopo*; per il momento, ci sono i sacerdoti e i profeti che reclamano l'autorità sugli altri. Come è giustificabile la loro pretesa? Questa è la domanda posta dal ribelle Cora: "Prendete troppo su di voi," dice a Mosè e Aronne, "tutta quanta la comunità è consacrata, tutti i suoi membri ... Perché dunque vi innalzate voi soli sopra il popolo di Dio?" (Num. 16:3). Cora è il primo oppositore di sinistra nella storia della politica radicale. (Le elaborazioni rabbiniche degli argomenti di Cora mettono in risalto il suo radicalismo e fanno di lui un ribelle politico, oltre che economico e sociale.) [11] Mosè nel testo non risponde, ma è facile immaginarsi cosa avrebbe detto. L'intera sua esperienza, in Egitto come nel deserto, gli aveva dato un forte senso della scarsa santità del popolo. Nonostante l'alleanza, Israele doveva ancora diventare santo: "Voi sarete ..." E questo avrebbe richiesto una lotta lunga e dolorosa. Cora aveva vissuto il grande momento della liberazione e provato l'entusiasmo dell'alleanza non come una promessa per un futuro lontano, ma come una realtà immediata. Ecco l'interpretazione midrascica delle sue lagnanze contro Mosè e Aronne:

> *Tutta quanta la comunità è consacrata, tutti i suoi membri*, e tutti hanno udito al Sinai il comandamento: Io sono il Signore Iddio tuo (Esodo 20:2): *perché dunque vi innalzate voi soli?* ... Se solo voi l'aveste udito, e gli altri no, avreste potuto considerarvi superiori. Ma ... tutti loro lo hanno udito. [12]

Chiunque avesse condiviso l'esperienza del Sinai era consacrato e non c'era dunque nessun bisogno di capi o del clero. Ma questa, avrebbe risposto Mosè, è una santità un po' troppo facile, qualcosa di troppo simile al latte e miele. E invece diventare "gente santa" è difficile. Si ha tuttavia l'impressione che fosse nell'interesse dei Leviti farlo apparire più difficile di quanto fosse nella realtà.

Molti secoli dopo, il protestantesimo rinnovò la promessa di sacerdozio e profetismo universale e John Milton nell'*Areopagitica* nei primi anni della rivoluzione puritana pensava che fosse arrivato finalmente il momento della sua realizzazione: "E ora sembra che sia venuto il tempo per Mosè di sedere nei cieli a contemplare l'esaudimento del suo desiderio glorioso e memorabile ... che ogni membro del popolo di Dio diventi profeta." [13] Nel 1644 sembrava sufficiente liberare il popolo dagli uomini "tormentosi" come Giosuè. Sette anni dopo, quando Cromwell tornò sull'argomento, le cose apparivano più complicate. All'apertura della prima sessione del Parlamento dei santi, Cromwell dovette spiegare perché i membri erano stati nominati e non eletti, "chiamati" da lui, invece che dal "suffragio del popolo". Sicuramente l'elezione sarebbe stata meglio, disse. "Nessuno l'avrebbe desiderata più di me! Se ogni membro del popolo di Dio fosse profeta, ognuno sarebbe stato adatto alla nomina." Ma non sono adatti, non ancora e la "maniera migliore per condurli alla loro libertà" è che "uomini timorati di Dio ora li governino nel timore di Dio." [14] Mosè avrebbe probabilmente detto lo stesso.

Qualcosa di simile accadrà durante la rivoluzione francese, nonostante la minore frequenza di riferimenti all'Esodo. La prima promessa della rivoluzione (dopo quella del pane) era che ognuno avrebbe avuto pari dignità nelle manifestazioni religiose e politiche. Ma ancora una volta alcuni furono chiamati, altri no. I circoli giacobini produssero un "clero" di cittadini virtuosi. Forse l'unico modo per evitare la formazione del "clero" è di ridurre il rigore richiesto nelle pratiche religiose e politiche e di concepire la virtù e la santità in modo meno gravoso di Cromwell e Robespierre. Suppongo che questo sia il modo democratico, almeno *un* modo democratico, di mantenere la seconda promessa. Forse è il modo americano. Ne ho trovato un bell'esempio in una lezione di David Brewer, un giudice della Corte suprema degli Stati Uniti, tenuta alla Yale University nel 1902. La cabina elettorale, disse Brewer,

è il tempio delle istituzioni americane. Non scegliamo una singola tribù o famiglia per custodire i fuochi sacri... Ognuno di noi è un sacerdote. A ognuno è affidata la cura dell'arca dell'alleanza. Ognuno officia dal proprio altare. [15]

E tutto quello che dobbiamo fare è votare! Ma l'America, alla fine del secolo non appare un buon esempio di "regno di sacerdoti e gente santa". Sembra più un popolo che vive nella terra promessa, ma che sta ricadendo in pratiche egiziane — esattamente come il primo Israele.

IV

Gli Israeliti attraversarono il Giordano e ben presto si ritrovarono nuovamente in Egitto. Certo la prima promessa si era realizzata, ma nel modo in cui le promesse si realizzano nella realtà, e non nelle leggende. Mi viene in mente il racconto che fa Thomas Mann dell'interpretazione del sogno del Faraone e della predizione, da parte di Giuseppe, di sette anni di abbondanza e di sette anni di carestia. Certo, dice Mann, la predizione si avverò, ma i sette anni di abbondanza, a dire il vero, non furono molto più abbondanti (anche se nemmeno più scarsi) degli anni normali ... [16] Nella terra di Canaan non scorreva il latte e miele, ma comunque ce n'era e c'era carne per riempire le pentole. Il significato più ampio della promessa — la fine dell'oppressione — creava invece più problemi. Il Faraone ricomparì in vesti moabite e filistee e poi israelite. "I sorveglianti egiziani," scrive Ernst Bloch, "avevano solo cambiato nome; ma erano ancora lì, nelle città israelite." [17] Nel testo la spiegazione della nuova oppressione è semplice e diretta: "I figli di Israele avevano intanto compiuto ciò che è male al cospetto del Signore." Questo tema, ricorrente nel Libro dei Giudici (vedi, per esempio, 3:7,12 e 4:1), collegava i successi militari dei nemici di Israele con le ricadute del popolo nell'idolatria. I profeti generalizzano il discorso: l'oppressione degli stranieri sugli Israeliti trova la sua causa profonda nell'oppressione degli Israeliti sui loro fratelli. L'argomento è tracciato brevemente e incisivamente nel primo capitolo del Libro delle Lamentazioni di Geremia: "Giuda è partito per l'esilio dopo la devastazione e la dura servitù patita" (1:3, che riprende le parole dell'Esodo). Possiamo aggiungere i particolari forniti da Geremia e Isaia. Il popolo ritornò agli idoli, poi al feticismo delle cose materiali, poi alle cose materiali stesse, e infine ai lussi egiziani. Persero di vista i comandamenti, si dimenticarono di essere stati schiavi − e poi (almeno alcuni di loro) oppressero i poveri. E quando l'oppressione suscitava in loro sensi di colpa, tornavano a Dio con sacrifici e digiuni di pentimento: un giorno, ogni tanto, rinunciavano al latte e miele. Ma l'occhio di Dio, stando ai profeti, è attento a tutta la catena del male, e quello che Egli richiede, anche nella terra promessa, è un nuovo affrancamento:

> Non sapete il digiuno che preferisco? Desistere dalle inique trame, sciogliere i vincoli del giogo, mandare liberi gli oppressi, spezzare ogni giogo. (Isaia 58:6)

Come il Faraone si dimenticò di Giuseppe, così ora gli Israeliti si sono dimenticati dell'Egitto − e dimenticarsi dell'Egitto significa dimenticarsi di Dio che li ha liberati dall'Egitto, e dimenticare la liberazione divina significa ritornare all'oppressione egiziana. Questa è la versione profetica della massima di Santayana secondo la quale chi non si ricorda del passato è condannato a ripeterlo. E se si ripete l'oppressione, si dovrà ripetere anche la liberazione.

Così le due promesse sono ancora collegate, in un modo più complesso. La santità porta alla libertà e alla giustizia, ma è effettiva solo se ispira un modo di vita, una cultura politica e religiosa. Gli Israeliti non saranno "gente santa" finché ognuno di loro non sarà partecipe di un mondo di ricordi rituali; finché non celebreranno la Pasqua; finché non si riposeranno al Sabbath; finché non studieranno la legge; finché non "spezzeranno ogni giogo" e impareranno a vivere con quello che Bloch chiama la "inestirpabile sovversione" della storia dell'Esodo. [18] Questo è il regno di Dio e, in definitiva, ogni altro posto è Egitto.

V

La scoperta dell'Egitto a Canaan genera una serie di reinterpretazioni dell'Esodo. La prima e la più strana (anche se in seguito la si ritroverà spesso) presuppone quella che potrebbe essere definita una romanticizzazione del periodo nel deserto. I principali romantici sono i profeti Osea e Geremia. Per loro il punto più alto della storia dell'Esodo non è l'arrivo a Canaan, ma la marcia attraverso il deserto. Più esattamente, è l'inizio della marcia. Mai più il popolo si rimetterà a Dio in modo così completo come in quel meraviglioso momento in cui lo sceglie e lo segue in una "terra di deserti e burroni". "Mi sono ricordato," Geremia fa dire a Dio, "di te, della grazia della tua giovinezza, dell'amore del tuo sposalizio, quando mi seguivi nel deserto" (2:2). Giovinezza e amore sono qui i simboli dello zelo e della purezza religiosa. Osea immagina Dio che seduce Israele, nella speranza di riaccendere quello zelo:

Ma ecco, io l'attirerò nella solitudine, ove potrò parlarle comodamente ... trasformerò la valle di Acor nella porta della speranza: e là essa canterà di nuovo come nei giorni della gioventù quando felice uscì dall'Egitto. (2:16-17)

Osea dimentica il timore del popolo davanti al mare e le mormorazioni incessanti nel deserto. Per Osea la cosa più importante è la buona volontà degli Israeliti, non le loro esitazioni e ansie. Da allora questa idea ha trovato d'accordo un buon numero di pensatori radicali: il culmine morale della rivoluzione è l'inizio, il momento in cui gli uomini e le donne oppressi muovono i primi passi verso la libertà. [19] Dopo quel momento c'è solo sofferenza, ma almeno è scelta spontaneamente e per questo è diversa dall'afflizione dello schiavo.

Il profeta nella terra promessa richiama alla memoria il momento iniziale dell'affrancamento e spera di farlo rivivere. Ma così provoca ancora nuove interpretazioni della promessa. Per quanto belli siano i primi giorni di libertà, nessuna persona ragionevole marcerebbe nel deserto senza la speranza di una "buona terra" dall'altra parte. Ma come si può descrivere quella terra quando già ce n'è una e già si è rimasti delusi? Devo dire subito che questo non sarà un problema permanente, dato che il popolo, come si vedrà presto, non si stabilirà permanentemente sulla terra promessa. Scrivendo dopo l'esilio delle tribù settentrionali o negli anni della prigionia babilonese, i profeti possono parlare di un nuovo Esodo verso lo stesso luogo. Ora il luogo ha un nuovo nome, non più Canaan, ma Israele, ma è sempre la terra di latte e miele e di tutte le altre gratificazioni connesse con il latte e miele. La promessa è ripetuta, la realizzazione rimandata: il possesso vero e definitivo della terra deve ancora venire. La prima liberazione era incompleta, o rifiutata nel momento in cui il popolo si era "corrotto" nella terra promessa come già aveva fatto ai piedi della montagna sacra. Ma ci sarà una seconda liberazione, più grande della prima. Così Geremia consolava i popoli del regno meridionale:

Ecco, stan per venire i giorni, dice il Signore, in cui non si dirà più: "Per la vita del Signore che fece ritornare i figli d'Israele dall'Egitto," ma: "Per la vita del Signore che riportò e ricondusse le stirpe della casa d'Israele dalla terra del nord e da tutti i luoghi dove egli l'aveva dispersa, per farla abitare di nuovo nella sua terra." (23:7-8)

Il pensiero messianico ebraico e perciò tutto il pensiero messianico è stato originato da questa idea di un secondo Esodo. L'idea presto si fonderà, in modi che non tenterò di spiegare, con alcuni elementi dell'ideologia monarchica della casa di David e il futuro leader della redenzione verrà descritto più spesso in termini regali che profetici. [20] Per adesso voglio solo far notare come il rinvio della promessa sia un modo per affrontarne il (temporaneo) fallimento. Il rinvio è un rimprovero al popolo che mantiene però aperte le porte della speranza. Se il popolo si pentirà e correggerà il suo comportamento, potrà ancora gustare il latte e miele della terra promessa. Ognuno potrà ancora essere sacerdote del regno di Dio. La promessa, anche a Canaan, è sempre la stessa. In condizioni che rappresentano il culmine dell'apostasia − oppressione domestica e perciò nuova servitù − i profeti semplicemente ripetono i termini dell'alleanza del Sinai. Essi rappresentano la coscienza della rivoluzione.

Ci sono tuttavia altri modi di affrontare il fallimento, alternative esperite negli stessi libri da cui sto citando. La promessa rinviata viene anche sviluppata, rafforzata, e alla fine trasformata. Perde le sue precise coordinate storiche e geografiche, per risplendere ancor più nello spazio mentale. La promessa diventa utopica. Vorrei fare un esempio un po' limitato, ma tuttavia illuminante, di questo processo, prima di passare a esaminare alcuni dei suoi esiti più strani. In Geremia 31, il profeta promette al popolo non solo un nuovo Esodo, ma anche una nuova alleanza decisamente diversa dalla precedente:

"Ecco vengono dei giorni," dice il Signore, "in cui farò con la casa d'Israele ... una nuova alleanza. Non sarà come l'alleanza che feci con i loro padri, quando li presi per mano e li trassi dalla terra d'Egitto, alleanza che essi hanno violato ... Ma ecco l'alleanza che io farò con la casa d'Israele; "dopo quei giorni," dice il Signore, "metterò la mia legge in loro e la scriverò nei loro cuori ... Non dovrà più ogni uomo istruire il suo vicino e il suo fratello dicendo: Impara a conoscere il Signore. Ma tutti, dal più piccolo al più grande, mi potranno conoscere." (31:31-34)

Questo è un passo notevole, anche perché afferma la possibilità di un'età messianica senza un messia. Anche usando le immagini dell'Esodo, il profeta fa di Mosè qualcosa di superfluo − non solo come maestro, ma anche come capo politico. Il verso: "Non dovrà più ogni uomo istruire il suo vicino e il suo fratello," rieccheggia le parole usate da Mosè in Esodo 32 per ordinare l'uccisione degli idolatri. Come non ci sarà più bisogno di insegnare, a maggior ragione non ci sarà più bisogno di uccidere: il popolo ubbidirà alla legge spontaneamente e di buon grado; Dio travaserà la coscienza dell'avanguardia nella coscienza naturale o spontanea degli uomini e delle donne comuni.

L'alleanza del Sinai era stata esposta dinanzi al popolo intero, tutti potevano ascoltare e, come già notato, la sua forma era condizionale: "se voi ascolterete la mia voce ... voi sarete per me un popolo di sacerdoti" (Esodo 19:5-6). La nuova alleanza non ha bisogno di essere udita materialmente; è iscritta nei cuori della gente e la forma condizionale non ha più ragione d'essere; non potrà più esserci disubbidienza. Quello che Geremia promette è una trasformazione dell'umana natura, o, meglio, la ricomparsa di Adamo − un po' avventata, mi pare, nella terra dei deserti e dei burroni. Da qui sarà un passo breve e ovvio riportare Adamo a casa, ma ora la meta non è più Canaan, ma l'Eden. Questa è la prima mossa verso il completo sviluppo di un messianismo originato dalle riflessioni sull'Esodo. Fatto questo passo, l'Esodo può essere reinterpretato, prima nella letteratura apostolica ebraica e poi negli scritti cristiani, come un'allegoria della redenzione finale del genere umano. In entrambi i casi, più enfaticamente e più insistentemente nella tradizione cristiana, la lettura allegorica tende a cancellare ogni distinzione storica. "Il Giardino dell'Eden, la Terra Promessa, Gerusalemme, e il monte Sion," scrive Northrop Frye, "sono sinonimi intercambiabili per la casa dell'anima, e una cosa sola nell'immaginario cristiano ... con il regno di Dio di cui parlava Gesù." [21] Se ci si attiene alla storia dell'Esodo, naturalmente non sono per niente la stessa cosa; infatti (per prendere solo i primi due), l'Eden è un giardino mitico, mentre la terra promessa è una precisa realtà geografica; l'Eden sta all'inizio e, nel pensiero messianico, alla fine della storia umana, mentre la terra promessa ha un suo posto preciso nella storia; l'Eden rappresenta la perfezione della natura e dell'uomo, mentre la terra promessa è solo un luogo migliore dell'Egitto.

Il messianismo perciò deriva sì dall'Esodo, ma se ne discosta radicalmente. Non solo perché la promessa messianica non è condizionata, come già sostenne Saadya Gaon, ma anche perché il suo contenuto è completamente nuovo. Liberata dall'opposizione specifica con l'Egitto, l'immagine di un "nuovo cielo e di una nuova terra" è ricercata in contrapposizione con il nostro mondo e con la vita terrena. Non si tratta più di dura schiavitù, ma di pena quotidiana; non i "morbi tremendi d'Egitto", ma la malattia in sé, che scomparirà alla venuta del messia. La storia allora si fermerà − un'idea del tutto estranea ai testi sull'Esodo, la cui funzione sembra essere quella di insegnare che le promesse non potranno mai essere mantenute completamente, che le ricadute e la lotta sono aspetti permanenti dell'esistenza umana. [22] E se anche le promesse fossero mantenute il risultato sarebbe ancora una comunità santa che vive in un tempo storico, coltiva la terra, attende la pioggia, si difende da nemici stranieri, celebra il settimo giorno e il settimo anno e il giubileo. La Fine dei Giorni è un'idea nuova.

Non mi dilungherò a parlare degli Ultimi Giorni. Stando agli scritti apocalittici sia ebraici che cristiani, saranno preceduti da catastrofi terribili: persecuzioni, guerre, inondazioni, terremoti e grandi "scuotimenti" nei regni e in tutto il mondo. Così inquietante è la prospettiva dei giorni che precedono la Fine che nel Talmud è riportato un modo di dire sul messia, attribuito a tre diversi rabbini del terzo e quarto secolo: "Possa venire il Messia, ma che io possa non vederlo." [23] Vivaci racconti di sconvolgimenti e distruzioni avranno poi un ruolo significativo nella politica mille-narista medievale. Anzi, direi persino che l'Apocalisse sta al millenarismo e al radicalismo chiliastico, come l'Esodo sta alla politica rivoluzionaria. Taboriti, Anabattisti, Predicatori – i gruppi che compaiono nel *Pursuit of Millenium* di Norman Cohn – traggono ispirazione da una letteratura a cui manca completa-mente il duro realismo della storia dell'Esodo. [24] Sicuramente ci sono uomini e donne che oscillano fra Esodo e Apocalisse, ma generalmente le posizioni sono chiare. Una cosa è sperare nel latte e miele, o nella santità, un'altra, diversa, è cercare (cosa che i rabbini, dopo il fallimento della rivolta di Bar Kochba, comanda-rono agli Ebrei di evitare) di "anticipare la fine" per portare il genere umano improvvisamente e violentemente nell'era messia-nica, nella nuova Gerusalemme, nel Paradiso.

Dopo gli Ultimi Giorni c'è infatti il Paradiso, l'Eden, non Canaan. Ecco una descrizione dal Libro siriaco di Baruc, uno dei libri apocrifi o meta-apocrifi (fu escluso dagli Apocrifi cristiani) risalente al primo secolo, ma che attinge abbondantemente a Isaia:

E allora scenderà la panacea con la rugiada,
E la malattia scomparirà,
E l'ansia e l'angoscia e i lamenti non saranno più fra gli uomini,
E la felicità si diffonderà sopra la terra intera;
E nessuno morrà prima del tempo,
Né ci saranno più improvvise calamità.

E le bestie feroci verranno dalla foresta e
andranno incontro agli uomini,
E le aspidi e le vipere usciranno dai loro buchi e
si sottometteranno a un bambinetto;
E le donne non soffriranno per la gravidanza,
Né proveranno dolore nel produrre il frutto del loro grembo. [25]

E così via. Queste promesse sono migliori di qualsiasi promessa fatta nel Sinai o in Egitto, ma non richiedono l'impegno umano continuamente richiesto nella storia dell'Esodo: la marcia nel deserto, l'insegnamento, l'apprendimento, l'ubbidienza alla legge. Il radicalismo messianico talvolta richiese ai suoi seguaci di con-tribuire al crollo dei regimi politici, e di estirpare e distruggere la corruzione ovunque fosse radicata. Dopo di ciò, tuttavia, dovevano solo attendere la trasformazione da parte di Dio del mondo in rovina. L'Esodo consigliava un programma ben diverso.

VI

Sia fra gli Ebrei sia fra i Cristiani, c'è stata una forte resistenza alla politica messianica – resistenza che assunse forme e caratteristiche diverse. I Cristiani tendevano a spiritualizzare gli Ultimi Giorni e a definire la redenzione uno stato dell'anima e non del mondo. Gli Ebrei tendevano a tornare all'Esodo (o a combinare l'Esodo con l'ideologia davidica). Per loro la redenzione manteneva sempre, e mantiene tuttora, il suo carattere politico. [26] Ecco perché i rivoluzionari cristiani, come i puritani inglesi o gli odierni teologi della liberazione, sono definiti "giudaizzanti": essi difendono la "carnalità" della promessa, sono alla ricerca di un regno terreno. La posizione ebraica dominante (anche se non voglio dubitare della forza delle tendenze apocalittiche popolari) è quella del maestro babilonese Samuele del terzo secolo, una cui frase è spesso ripetuta negli scritti rabbinici: "Non c'è nessuna differenza fra questo mondo e i Giorni del Messia, eccetto il nostro asservimento ai regni pagani." [27] Come ha notato Gershom Scholem, questo è un appunto polemico contro quegli scrittori e maestri che speravano in un ritorno all'Eden. L'unico ritorno può essere a Canaan; la redenzione messianica ripete la redenzione mosaica: è l'affrancamento dalla schiavitù. Nel tredicesimo secolo, Nachmanides descrive la liberazione come una ripetizione letterale dell'Esodo: "Il Messia ... verrà [a Roma] e comanderà al papa e ai re di tutte le nazioni nel nome di Dio, 'Lascia andare il mio popolo e che possa servirmi'!". [28]

I più importanti filosofi ebrei medievali la pensavano così. Il messia, stando a Maimonide, sarà una figura storica e umana, proprio come Mosè o Davide, e il mondo in cui verrà "seguirà il suo solito corso". La profezia di Isaia del lupo e dell'agnello, ripresa da Baruc e da molti altri scrittori apocalittici, è "una parabola e un'allegoria che deve essere intesa nel senso che Israele abiterà in modo sicuro anche fra ... i popoli pagani". Maimonide prosegue con una descrizione dell'età messianica che in parte può essere intesa come un'elaborazione rabbinica delle promesse dell'Esodo − e perciò, come una visione del futuro piuttosto modesta, anche se lusinghiera.

I saggi e i profeti attendono con ansia i giorni del Messia non per dominare il mondo, non per mettere sotto controllo i pagani, non per essere esaltati dai popoli, né per mangiare, bere o far festa. Tutto quel che vogliono è avere tempo per la Torah e la sua saggezza senza che nessuno li opprima o li disturbi. In quel tempo ... tutto il mondo sarà occupato ... con la conoscenza di Dio ... [e] i bambini di Israele saranno grandi saggi; conosceranno le cose nascoste e otterranno una comprensione del loro Creatore nei limiti delle umane possibilità. [29]

Un regno di rabbini, di maestri e di saggi sostituisce qui il regno dei sacerdoti e la forma di partecipazione è lo studio. La visione è risolutamente anti-apocalittica; "le umane possibilità" stabiliscono un limite alle nostre aspettative; la nostra comprensione di Dio non sarà né pura né perfetta. Al tempo stesso − si deve notare −

questa non è semplicemente un'elaborazione delle promesse dell'Esodo; è anche un ampliamento, un innalzamento. La schiavitù babilonese, la distruzione dei due templi, i secoli di esilio e persecuzione avevano avuto l'effetto di alzare la posta in gioco della storia dell'Esodo. Maimonide sogna una redenzione più alta e finalmente definitiva.

Il suo, comunque, è un messianismo scomodo. Uno dei suoi seguaci sostiene che se gli Ebrei fossero tutti già saggi e addottrinati, il messia non sarebbe più necessario. "Se tutto il popolo di Dio fosse profeta," scrisse Isaac ben Yedaiah, "e abbastanza saggio da conoscere il suo Creatore, non avrebbe bisogno di altro re all'infuori del nostro Dio, il Re dei re." [30] È una ripetizione dell'augurio di Mosè e dimostra che, almeno per alcuni rabbini, il messia, come il clero levitico, era una sfortunata necessità, le cui funzioni erano imposte dalle ricadute morali e spirituali del popolo e non dal progetto originale di Dio. Senza leadership messianica, Israele non potrà mai raggiungere la terra promessa. Una volta raggiunta, tuttavia, il popolo basterà a se stesso; tutti saranno sacerdoti e profeti o saggi e maestri (nelle versioni secolari dell'argomento, cittadini della Repubblica dei cieli), e non avranno più bisogno di un'autorità terrena.

Cioè a dire, una volta che il popolo sarà *davvero* là, basterà a se stesso, ognuno sarà saggio e non ci sarà bisogno di un re. Quando arrivarono alla terra promessa la prima volta, dopo il primo affrancamento, gli Ebrei insistettero per avere un re. Andarono da Samuele — l'episodio è stato molto discusso nella teoria politica della monarchia — e chiesero un Faraone israelita per giudicarli e per condurli in battaglia; volevano essere "come tutti i popoli". Samuele chiese consiglio al Signore, e la risposta fu di ascoltare pure la voce del popolo, "perché non hanno respinto te, ma respingono me, affinché non regni più su di loro" (1 Sam. 8:5-7). E allora Samuele trovò loro un re, imitando Aronne che nel deserto aveva costruito un idolo. In entrambe le occasioni il popolo rinnegò l'idea di un "regno di sacerdoti e gente santa", e in entrambe le occasioni ci fu la complicità del servitore scelto da Dio — un segno forse che l'autorità reale deve poggiare sul volere del popolo. Dio insiste sulla sua autorità nel regno dei cieli, non nei regni terreni (sarebbe un tiranno se regnasse senza il consenso del popolo?). E neppure manderà il messia prima che le genti siano pronte a riceverlo, secondo l'opinione della maggior parte dei rabbini. Ma quando saranno pronte, qualcuno dirà, non ci sarà più bisogno di un messia.

Questo è un argomento spinoso, e i rabbini ci girano intorno senza fine, come d'altronde ho fatto anch'io. Ma ora voglio uscire dal circolo vizioso e tornare al mio tema politico. La forma di governo nella terra promessa dovrà essere un regno senza un re umano. Questo è un punto di vista rivoluzionario più volte ribadito, e nonostante sia stato spesso tradito, è tuttavia importante. La leadership politica nella nuova società è, in linea di principio, temporanea, carismatica e consensuale. Non esiste il Capo (con la C maiuscola) o una linea ereditaria di capi. Questa idea fondamentale è radicata profondamente nel testo biblico – così profondamente che i compilatori e i curatori che lavoravano alle corti di Davide e Salomone non riuscirono mai a estirparla del tutto. Prendiamo, per esempio, l'ultimo capitolo del Deuteronomio, in cui Dio mostra a Mosè la terra promessa e gli annuncia che lui non vi entrerà. Mosè muore lì, sulla sponda del Giordano, e Dio lo seppellisce in una valle nel paese di Moab, "ma nessuno fino a ora ha mai saputo dove sia la sua tomba" (34:6). Questa parte della Bibbia è stata interpretata e reinterpretata senza fine negli scritti midrascici, [31] ma mi voglio attenere al testo, dov'è evidente il contrasto fra Mosè e il suo grande antagonista, il Faraone egiziano. La tomba del Faraone è opera degli uomini, è ricca e splendida e situata in un luogo a tutti noto. Mosè non è come il Faraone, non è un re; non è un padre di re o di messia. La Bibbia ci dice poco o nulla degli eredi e dei discendenti di Mosè: esiste soltanto una sola allusione frammentaria a un suo nipote che sembra sia stato un sacerdote minore di un santuario locale nel territorio di Dan (Giudici 18:30). [32]

Nelle interpretazioni e nelle applicazioni più tarde dell'Esodo, spesso è evidenziato il ruolo limitato di Mosè, magari accompagnando questa constatazione con la lettura di Esodo 18, il primo testo costituzionale della storia, in cui Jetro consiglia a Mosè di associarsi con i capi eletti dal popolo, e con la lettura di Numeri 11, il secondo testo costituzionale, in cui Dio ordina la formazione di un consiglio di settanta anziani. In Esodo 18, Jetro dice a Mosè: "È un compito troppo grave per te e non puoi resistere da solo." Poi propone di "scegliere capi di migliaia, capi di centinaia, capi di cinquantine e capi di decine" (18:18,21). Rashi fece il conto: se i maschi adulti israeliti erano 600.000, avrebbe avuto 82.600 "capi". [33] Circa il 15% degli uomini avrebbero governato insieme. In Numeri 11 Mosè accoglie l'idea di Jetro: "è troppo grave per me". Forse gli 82.600 non sono ancora in carica, ma comunque sappiamo che il consiglio di Jetro è stato accettato. Nel testo si trova qualche segno di tensione fra la nuova leadership e gli anziani delle tribù – cosa normale in un periodo di trasformazione politica. [34] Negli anni della rivoluzione inglese furono proposti parecchi schemi costituzionali basati sulle cinquantine e sulle decine; la loro applicazione avrebbe però richiesto un grande incremento della partecipazione politica e per questo non piacquero ai gentlemen del Parlamento e agli uomini di legge. [35] Questo in ogni caso era il messaggio del testo biblico: il capo carismatico non è abbastanza; la struttura tradizionalista della tribù non è adeguata alle nuove leggi; e perciò nel deserto bisogna creare una nuova forma di governo valida sia lì sia nella terra promessa.

Che tipo di governo? Spinoza, a cui dobbiamo forse la migliore analisi dei testi costituzionali, definisce il regime degli Israeliti una repubblica teocratica. [36] La letteratura radicale e rivoluzionaria manterrà questa definizione, mettendo in evidenza più spesso il repubblicanesimo che la teocrazia. Persino Tom Paine, nell'opuscolo *Common Sense*, attacca la monarchia con argomenti biblici, oltre che con il senso comune, e fa un racconto dettagliato della storia antica di Israele. "L'Onnipotente qui inizia la sua protesta contro il governo monarchico ..." [37] (Quando scrive contro il principio di ereditarietà, Paine omette ogni accenno ai Leviti.) I sacerdoti americani attribuivano all'Esodo un'importanza ancora più grande. In un sermone letto a Hartford nel 1779, James Dana sostenne che quello che soprattutto dovevano "ricordare" i figli di Israele era "l'esplicito intervento dell'Onnipotente che in loro vece aveva umiliato i tiranni". Il governo di Israele, continua Dana, era una "repubblica confederata con Dio a capo". [38] Nel raccomandare la ratificazione della nuova costituzione davanti alla General Court del New Hampshire nel 1788, Samuel Langdon descrisse Israele semplicemente come una repubblica, di tipo molto simile al regime da lui auspicato in contrapposizione alla precedente confederazione di Madison e Hamilton: era di "esempio per gli Stati americani". [39]

Non voglio soffermarmi su questi azzardati paralleli. Il punto fondamentale è che la forma di governo che gli Israeliti si diedero durante l'Esodo, qualunque essa fosse, non era sicuramente di tipo monarchico. Lo afferma in modo plateale Giosuè quando brucia i carri e azzoppa i cavalli catturati in battaglia (Giosuè 11:9). Come ho già notato, i carri e i cavalli erano infatti gli strumenti e i simboli del potere regale e della tirannia. Uno dei successori di Giosuè, il giudice e guerriero Gedeone, riassume i temi politici dell'Esodo quando rifiuta il consiglio di farsi re: "Non sarò io a regnare su di voi, e neppure mio figlio, perché il vostro re è il Signore" (Giudici 8:23). Gedeone è il lontano antenato – forse neppure troppo – di Cromwell e di Washington. Egli si batte per una politica coerente che derivi in modo diretto dall'esperienza dell'affrancamento, del quale riafferma il carattere rivoluzionario. È una politica che mette in discussione la legittimità del potere assoluto. Dopo il regno di David, l'opposizione alla monarchia in Israele diminuisce e finisce per essere una corrente sotterranea, anche se a volte potente, del profetismo. Osea, per esempio, accomuna re e idoli per spiegare la distruzione del regno settentrionale:

Hanno stabilito dei re, ma non designati da me; han scelto dei sovrani, e neppure lo sapevo. Col proprio argento e con l'oro si sono fatti degli idoli per la loro rovina. (8:4)

E Isaia ancor più esplicitamente richiama il radicalismo dell'Esodo: "Guai a coloro che scendono in Egitto a cercar protezione, e stanno sui cavalli e confidano nei carri ..." (31:1). Israele deve confidare in Dio. E questo significa anche confidare in sé, nella santità per la quale era stato originariamente liberato. Da questo punto di vista, lo stesso messia rappresenta la sconfitta della politica dell'Esodo. Se il popolo non si fosse scelto un capo − un re in questo caso − per far ritorno in Egitto, non ci sarebbe stato bisogno di un messia. Anche ora, quando verrà, non farà altro che realizzare le antiche promesse. Non abrogherà la legge o lo studio e l'insegnamento della legge o il governo dei giudici e dei magistrati in conformità con la legge. Si limiterà a stabilire quello che il popolo un tempo avrebbe potuto stabilire per proprio conto.

Nel giudaismo postbiblico, la dottrina che ho ora esposto è conservatrice, ed è diretta contro l'utopismo radicale e l'antinomismo degli scritti e delle profezie apocalittiche popolari. [40] Servì per affermare l'autorità dei rabbini all'interno delle piccole, più o meno autonome comunità della diaspora. Questa dottrina non dava nessun sostegno a una politica innovativa − almeno fino all'avvento del sionismo, che assume ora l'aspetto di un ritorno all'Esodo, ora quello di un tipo di messianismo politico. In ogni caso c'era poco spazio per una politica innovativa nel mondo precario degli Ebrei medievali, e non c'era nessuna speranza di liberazione dall'oppressione, se non ad opera di un re-messia. Fu nelle città e negli Stati cristiani, e più tardi in quelli secolari, che si realizzarono le potenzialità radicali dell'Esodo. La storia dell'Esodo fornì ai suoi lettori un'alternativa all'Apocalisse, una cornice letteraria all'interno della quale era possibile discutere di oppressione e affrancamento in termini terreni. Suggerì − e suggerisce ancor oggi − la possibilità di un grande giorno che non sia l'Ultimo Giorno.

Conclusione: la politica dell'Esodo

I

Dal tardo Medioevo o dall'inizio dell'era moderna, è esistito in Occidente un caratteristico modo di concepire il cambiamento politico, uno schema che comunemente imponiamo agli eventi, una storia che ci raccontiamo l'un l'altro. La storia ha approssimativamente questa forma: oppressione, liberazione, contratto sociale, lotta politica, nuova società (pericolo di restaurazione). Chiamiamo questo processo *rivoluzionario*, anche se il cerchio non si chiude, a meno che alla fine non ritorni almeno l'oppressione; nelle intenzioni, il processo ha un forte movimento in avanti. È una storia che non si racconta in tutto il mondo; non è uno schema universale; appartiene all'Occidente, in modo particolare agli Ebrei e ai Cristiani in Occidente, e la sua origine, la sua prima versione, è l'Esodo di Israele dall'Egitto. Scopo di questo libro era raccontare nuovamente la storia nella sua versione originale, dare una lettura dell'Esodo che ne cogliesse i significati politici e poi riflettere sui caratteri generali e sulle tensioni interne della politica dell'Esodo. Questo non è certamente l'unico modo possibile di leggere il testo biblico. È un'interpretazione, e come tutte le interpretazioni mette in luce alcuni aspetti del testo e ne trascura o elimina altri. Non sto però leggendo l'Esodo in modo eccentrico, sto seguendo un percorso ben definito, muovendomi a ritroso, dalle citazioni e dai commentari al testo, dalla promulgazione delle leggi alle leggi. Non so se l'Esodo fu in effetti la prima rivoluzione, come pensano molti commentatori. Il Libro dell'Esodo però (assieme al Libro dei Numeri) contiene certamente la prima descrizione della politica rivoluzionaria.

L'Esodo (o la successiva lettura dell'Esodo) fissa lo schema. E a causa della centralità della Bibbia nel pensiero occidentale e della sua continua rilettura, lo schema è penetrato nella nostra cultura politica. Non è solo un caso che i fatti si ripetano, quasi naturalmente, nella stessa forma che hanno nella storia dell'Esodo; siamo noi a operare attivamente per dar loro questa forma. Ci rammarichiamo dell'oppressione; speriamo (contro ogni probabilità, vista la storia dell'Uomo) nella liberazione; ci uniamo con alleanze e costituzioni; miriamo a un ordine sociale nuovo e migliore. Anche se in forma attenuata, il pensiero dell'Esodo sembra essere sopravvissuto alla secolarizzazione della teoria politica. E così, quando i socialisti utopici, gran parte dei quali risolutamente ostili alla religione, discutono sui problemi del "periodo di transizione", ancora espongono i loro argomenti in forme a noi familiari: i quarant'anni nel deserto, scrivono i Manuel nel capitolo su Robert Owen, furono "una profonda ... memoria culturale e la morte della vecchia generazione [fu] una soluzione archetipa". [1] (Lo fu perfino per i socialisti "scientifici" come Marx e, in questo secolo, Lincoln Steffens.) Questo genere di cose non è mai semplicemente una questione di convenienza retorica. Gli schemi culturali danno forma alle percezioni e alle analisi. Non sopravviverebbero così a lungo se non conciliassero una varietà di percezioni e analisi, se non fosse possibile sviluppare un discorso all'interno delle strutture che mettono a nostra disposizione. Non intendo difendere una visione "essenzialista" della rivoluzione o della politica radicale in generale. Nella cornice dell'Esodo è legittimo dare maggior risalto al potente braccio di Dio o alla lenta marcia del popolo, alla terra di latte e miele o alla gente santa, alle purghe dei controrivoluzionari o all'educazione della nuova generazione. È possibile descrivere la schiavitù egiziana in termini di corruzione, tirannia o sfruttamento; è possibile difendere l'autorità dei Leviti o degli anziani o dei capi di cinquantine e di decine. Voglio solo far notare che queste stesse alternative sono paradigmatiche; esse costituiscono le *nostre* alternative. In altre culture gli uomini e le donne leggono altri libri, raccontano storie diverse, affrontano scelte diverse.

Ma noi in Occidente abbiamo anche un secondo modo di intendere il cambiamento politico, un secondo schema, sempre derivato dall'Esodo, ma ben distinto per alcuni aspetti fondamentali. Il secondo schema è, nelle parole di Jacob Talmon, il "messianismo politico". [2] Il messianismo è la grande tentazione della politica occidentale. Il suo stimolo e la sua origine è l'apparente infinità della marcia. "La lunga e prolungata storia del progresso umano è offuscata dall'errore e dalla catastrofe," scrisse il giovane Ramsay MacDonald in *The Socialist Movement,* "dai faticosi viaggi nel deserto, dalle Canaan che, quando ancora sono dall'altra parte del Giordano abbondano di latte e miele, e una volta conquistate sono quasi sterili ..." [3] MacDonald si dichiara risoluto a continuare la marcia, ma qualcuno può decidere (come fa lui alla fine) di rinunciare o al contrario di optare per speranze molto più radicali. Perché accontentarsi della lotta difficile e forse interminabile per la giustizia e la santità quando c'è un'altra terra promessa dove la liberazione è definitiva, l'esaudimento completo? La storia stessa è un fardello di cui vogliamo liberarci, e il messianismo garantisce la fuga: una liberazione non solo dall'Egitto, ma anche dal Sinai e da Canaan. Può sembrare bizzarro attendersi questa liberazione dalla politica − persino da una politica rivoluzionaria o da guerre apocalittiche. Gli argomenti filosofici e teologici in difesa di questa pretesa sono sempre complessi e invocano o il proposito divino o il corso provvidenziale della storia, insieme a questo o quel programma, come nel Libro dell'Esodo. La cosa importante, tuttavia, è che il programma messianico è ben differente da quello adottato da Mosè nel deserto e nel Sinai.

II

Nella storia ebraica la differenza è stata un po' smussata perché anche il messianismo prende forma dall'Esodo: alla Fine dei Giorni gli Ebrei lasceranno le terre del loro esilio per ritornare alla Sion terrena. E così la politica dell'Esodo e il messianismo politico sono presenti e si intrecciano nel pensiero sionista. L'intreccio è ben simboleggiato da un sogno che Theodor Herzl, da vecchio, raccontò a un amico: aveva dodici anni e il "Re-Messia" gli apparve in sogno e

mi prese in braccio e mi portò in cielo volando. Su una nuvola iridescente incontrammo ... Mosè. (Il suo aspetto era simile a quello della statua di Michelangelo. Da piccolo adoravo ... quel ritratto di marmo.) Il Messia chiamò Mosè ad alta voce e disse: "Per questo bambino ho pregato!" A me disse: "Vai e annuncia agli Ebrei che presto verrò e che compirò grandi e mirabili azioni per il mio popolo e per tutta l'umanità." [4]

È il profeta Mosè, non il re David, che aleggia sullo sfondo di questa visione messianica e che annuncia la natura delle azioni future. Se Herzl, un uomo di mondo e un Ebreo completamente assimilato nella cultura secolare, ricordava sogni di questo tipo, possiamo pensare che fossero ancora più importanti per le masse ortodosse dell'Europa orientale. Chiaramente il sionismo attinse dalla fede e dall'energia messianica anche quando richiedeva un'attività politica prosaica, ripetitiva e frustrante. Ma il parallelo con l'Esodo era ancor più stretto. L'opposizione che Herzl incontrò e il rifiuto di molti Ebrei di lasciare le case dell'esilio per trasferirsi nella terra promessa ricordavano più le preoccupazioni familiari di Mosè che i trionfi predetti al messia. Non è un caso che, nel sogno di Herzl, Mosè avesse un volto, mentre il messia solo un titolo e un'aura.

Il parallelo con l'Esodo non andò perduto e lo si ritrova nel più incisivo pensatore sionista, Ahad Ha-Am ("Uno del popolo", il *nom de plume* di Asher Ginzberg), autore di un saggio su Mosè pubblicato nel 1904, in cui c'è una descrizione molto efficace del leader che da principio aveva creduto in una liberazione immediata e completa, ma che poi, nel deserto, dovette rendersi conto che essa sarebbe venuta solo dopo una battaglia lunga e difficile. Ahad Ha-Am ripete le parole di Maimonide: "un popolo abituato per generazioni alla casa di schiavitù non può annullare in un istante gli effetti dell'abitudine e divenire veramente libero ..." E mette in bocca a Mosè la conclusione che traeva lui stesso dai suoi contemporanei:

> Egli non crede più in una rivoluzione istantanea; sa che i segni, le meraviglie e le visioni di Dio possono sollevare un entusiasmo momentaneo, ma non possono creare un nuovo cuore, non possono sradicare e impiantare sentimenti e inclinazioni in modo stabile e permanente. Così Mosè usò tutta la sua pazienza per caricarsi sulle spalle il penoso fardello del suo popolo e per educarlo gradualmente e lentamente fino a renderlo pronto per la sua missione. [5]

In questo caso si può parlare di sionismo dell'Esodo e opporlo al sionismo messianico che assunse forma politica, per la prima volta, in Palestina, negli anni venti. Nel contesto della storia ebraica e in particolar modo della diaspora, il sionismo dell'Esodo richiese quello che lo scrittore A.B. Yehoshua definì "un atto di rinuncia: rinuncia al messianismo, alla salvezza religiosa, e visione della Fine dei Giorni". [6] Questa rinuncia era più facile per gli uomini e le donne di sinistra, già propensi a un'interpretazione secolare e socialista della promessa biblica. Alcuni socialisti come David Ben-Gurion ancora nutrivano speranze messianiche ma più simili a quelle dei profeti che a quelle degli scrittori apocalittici. Il sionismo messianico fu un'invenzione della destra, dei cosiddetti revisionisti, ed oggi in Israele è un credo esclusivamente di destra. Esso condivide tuttavia alcuni aspetti fondamentali di un certo tipo di politica radicale. Il primo è la straordinaria sensibilità, e quasi l'attesa spasmodica, per gli eventi apocalittici, che nel ventesimo secolo sembravano davvero approssimarsi: ci fu mai un tempo che potesse apparire più simile a quello che precede la Fine dei Giorni degli anni fra il 1930 e il 1950? Il nazismo, la seconda guerra mondiale, lo sterminio degli Ebrei europei alimentarono la speranza disperata, e poi, fra i militanti intellettuali in Palestina, la disperata certezza di una grande trasformazione, di un rovesciamento totale. Ma questo avrebbe richiesto una seconda Apocalisse locale. Salvati dalla distruzione europea, questi militanti reclamavano una distruzione per mano loro, in accordo con un detto talmudico sul "travaglio messianico": "La guerra è l'inizio della redenzione." [7] (Ma lo sono anche la carestia, i dissidi familiari, la fine delle scuole e delle università: niente di tutto ciò è programmabile.) I riformisti più estremisti, i membri del gruppo Stern, "concepivano la battaglia finale contro gli Inglesi come una catarsi apocalittica da cui non potevano attendersi che la morte".[8] Il loro popolo, tuttavia, avrebbe alla fine raggiunto la vita eterna, nella sua versione politica. "Quando l'ultimo soldato inglese lascerà il paese," scrisse uno di loro, "arriverà l'età messianica." [9]

Il secondo aspetto del messianismo politico è la disponibilità a "forzare la Fine" – il che non significa solo agire politicamente (invece di attendere l'intervento onnipotente di Dio), ma agire politicamente per lo scopo finale. Gli uomini e le donne che forzano la Fine si occupano in prima persona della loro liberazione e di quella di tutti noi, non da un male in particolare, ma dal Male. Attribuiscono alla loro politica autorità divina e trascurano, per dar maggior efficacia alle loro azioni, ciò che è imposto dalla moralità e dalla prudenza. Quando la posta in gioco è così alta, si mettono da parte gli scrupoli. Anche la forza è santificata quando può servire ad avvicinare la Fine dei Giorni, e perciò se ne può fare uso senza sensi di colpa. In Israele, negli anni '70 e '80, l'estrema destra caldeggiava un messianismo quasti estatico – ogni nuova guerra medio-orientale non era forse la guerra di Gog e Magog, che annunciava l'età gloriosa? Dio stesso vincerà o morrà con le armate israeliane: "La vittoria di Israele ... è la vittoria dell'idea divina, e la sconfitta di Israele, la sconfitta di quell'idea." [10]

Nella storia dell'Esodo la sconfitta militare non è mai vista in questo modo; non è una sconfitta di Dio, ma un fallimento di Israele che nasce dalla corruzione e dall'oppressione, e che deve servire a ricordare agli Israeliti il carattere condizionato delle promesse. Infatti il terzo aspetto del messianismo politico è l'assenza di condizioni. Fra i sionisti di destra, secondo Ernst Simon, uno dei loro critici dal punto di vista religioso, "l'alleanza è stata interpretata ... come una Carta dei diritti non condizionata, per così dire, all'osservanza dei doveri religiosi". [11] La vittoria del 1967 pose i credenti ebrei davanti a una scelta difficile. Potevano difendere l'occupazione delle terre da poco conquistate contro ogni opposizione, concependo la conquista come il mantenimento della promessa di Dio ad Abramo; o dovevano ricordarsi del comandamento dell'Esodo: "Non opprimere lo straniero, perché voi conoscete già lo stato d'animo dello straniero, essendo stati anche voi stranieri nella terra d'Egitto" (Esodo 23:9), e cercare un compromesso politico. All'interno della politica dell'Esodo si possono giustificare entrambe le posizioni: nel testo spesso è caldeggiata una politica intransigente ma altrettanto forte è l'argomentazione di Simone a favore del compromesso. Il messianismo politico preclude la discussione. Non c'è nessun bisogno di sacrificare del territorio alla moralità, perché la moralità non è disgiunta dal territorio. La guerra dei sei giorni, ha scritto di recente un rabbino, fu "uno sbalorditivo miracolo divino ...; la Fine dei Giorni è già venuta ... ora, attraverso la conquista, *Eretz Yisrael* [la terra di Israele] è stata redenta dall'oppressione ... ed è entrata nel regno della santità". [12] La più forte opposizione ai sionisti di destra viene dal più insigne studioso del messianismo ebraico, Gershom Scholem:

> Io nego nel modo più assoluto che il sionismo sia un movimento messianico ... La redenzione del popolo ebraico, che io desidero da sionista, non è per niente identica alla redenzione religiosa che io spero in futuro ... L'ideale sionista è una cosa e l'ideale messianico un'altra e i due non si incontrano se non nella pomposa fraseologia delle adunate di massa ... [13]

La differenza decisiva fra i due è, per Scholem, che il sionismo si propone di agire all'interno della storia, accettando i limiti della realtà storica, mentre il messianismo rappresenta un rifiuto utopico di questi limiti. "Dobbiamo accettare i decreti della storia senza coperture utopiche. E, ovviamente, questo ha un prezzo. Si ha a che fare con altri che hanno ... interessi e ragioni ... e dobbiamo riuscire a venire a patti con loro." [14] Scholem si definiva un ahad-ha amista, nel senso che anch'egli, come Ahad Ha-Am, credeva che la lotta decisiva fosse quella nel deserto, che continua nella terra promessa: la lotta per creare un popolo libero e coerente con i termini dell'alleanza. "Se i sogni del sionismo riguardano il numero della gente e l'ampiezza del territorio, e noi non riusciremo a farne a meno, allora il sionismo fallirà ..." [15] Questa è la voce profetica autentica, memore dell'Egitto, della schiavitù e dell'esilio, e che spera che Canaan, ora Israele, diventi un giorno un posto migliore.

III

C'è un momento nella storia dell'Esodo che sembra adattarsi al radicalismo dei sionisti di destra e che finora io ho evitato: la conquista della terra promessa. Nella politica dell'Esodo, com'è stata interpretata ed elaborata nei secoli, la conquista ha un ruolo minore. Figura negli scritti di qualche Puritano americano, alle prese con gli Indiani del New England, e poi ancora in quelli dei Boeri sudafricani. Ma è assente, per ovvie ragioni, nella teoria politica della liberazione. Se si prende il trasferimento dall'Egitto a Canaan come una metafora per una politica di trasformazione, allora l'attenzione è centrata sulle battaglie interne e non sulle guerre esterne, sulle purghe degli Israeliti recalcitranti piuttosto che sulla distruzione dei popoli di Canaan. Ed è questa anche la prospettiva del mio libro.

Leggendo il testo nella sua forma attuale, tuttavia, non si nota nessuna tensione fra il rispetto per lo straniero e la conquista e l'occupazione della terra promessa; i Cananei sono infatti esplicitamente esclusi dalla sfera morale. Secondo i comandamenti del Deuteronomio, devono essere scacciati o uccisi — tutti, uomini, donne e bambini — e i loro idoli distrutti.

> Ma dovrai distruggerli completamente questi Ittiti, questi Amorrei, questi Cananei, questi Ferezei, questi Evei e questi Gebusei, come il Signore, Iddio tuo, ti ha comandato, affinché non vi insegnino ad imitare tutte le loro abominazioni ... (20:17-18)

Mi sembra un ordine abbastanza chiaro e poco importa che la conquista si sia svolta in realtà in modo molto differente, più con una graduale infiltrazione che con una sistematica campagna di sterminio. Quel che conta è la legge. È un aspetto tipico di ogni rivoluzione che i popoli da poco liberati e uniti da un patto debbano concepire i loro nemici in modo così assolutista? Il messianismo politico, in effetti, vede in ogni opposizione l'opera di Satana, ma Satana non compare nella storia dell'Esodo: le infamie dei Cananei sono opera loro, fin troppo umana. La battaglia per la conquista di Canaan non assomiglia alle guerre di Gog e Magog; ecco forse perché si giunse a un compromesso. Ma Dio non fu soddisfatto del compromesso (vedi Giudici 2:1-3). Egli voleva una guerra totale contro l'idolatria e gli idolatri. Penso che si possa intendere questa guerra come un'estensione delle lotte nel deserto. Le guerre rivoluzionarie hanno in sé qualcosa della ferocia delle guerre civili e delle purghe politiche, anche quando il nemico non è satanico e la fine dei giorni non ancora imminente. Ma nel popolo sono molti i guerrieri riluttanti; la maggioranza è per la pace. Il comandamento divino e la sua trasgressione da parte del popolo sono ulteriori esempi del realismo biblico.

C'è nel testo qualche segno di inquietudine riguardo all'ordine di conquistare — una ricerca delle ragioni, la paura che l'ira del Signore appaia completamente arbitraria. [16] Ma le ragioni sono pericolose. Se i Cananei fossero stati condannati perché idolatri e a causa delle loro infamie, come suggeriscono il Levitico e il Deuteronomio, perché non riservare la stessa punizione agli Israeliti ricaduti nell'idolatria? Gli scrittori biblici stavano consapevolmente creando un precedente che avrebbe potuto essere usato un giorno contro il loro stesso popolo: "Sarete distrutti come le nazioni che il Signore fa sparire dinanzi a voi, perché non avete dato ascolto alla voce del Signore, Iddio vostro" (Deût. 8:20). Forse a causa di questo parallelismo il comandamento "dovrai distruggerli completamente" non è sopravvissuto al lavoro di interpretazione; fu in pratica espunto dai commentatori talmudici e medievali nelle dispute sulle sue possibili applicazioni future. Se ci fosse un altro Esodo, ci sarebbe un'altra conquista e sarebbero nuovamente messi al bando gli abitanti della terra promessa? I commentatori sostennero che il comandamento si applica solo a specifici gruppi, nominati nel testo, che non esistono più o che non possono più essere individuati. "Quando venne Sennacherib, il re degli Assiri," scrisse il rabbino Yehuda, riferendosi alla descrizione biblica del regno di Ezechia (2 Re 18-19), "mescolò tutti i popoli."[17] "La loro memoria," scrisse Maimonide, "si è ormai persa da lungo tempo."[18] E per questo la messa al bando non può più avere effetti pratici; gli Israeliti di ritorno nella terra promessa non troverebbero più né Ittiti, né Amorrei. I sionisti di destra che citano questi passi biblici praticano una forma di fondamentalismo completamente discordante dalla tradizione ebraica. Questa, come la politica dell'Esodo, si fonda più sulle interpretazioni del testo che sul testo stesso.

IV

Se i sionisti contemporanei si barcamenano fra la "porta della speranza" apertasi nella storia dell'Esodo e le fantasie del messianismo politico, i radicali e i rivoluzionari sognano la terra promessa, ma anche il giardino perduto, Canaan, ma anche il paradiso. L'analisi del radicalismo come forma secolarizzata di zelo messianico, che mette l'accento sul secondo termine di queste coppie, ha avuto una grande influenza sugli studiosi moderni.[19] Naturalmente, essa ha uno scopo politico: vuol mettere in luce le stravaganze dell'ideologia di sinistra e l'*hybris* degli uomini e delle donne che vogliono fare ciò che Dio può fare (o almeno così si credeva un tempo); vuole richiamare l'attenzione sui veri e propri pazzi che vivono ai margini di qualsiasi movimento rivoluzionario e che forse non sono così marginali come possono sembrare. Senza dubbio, al di là delle mire politiche, l'analisi coglie una parte di verità. Il trasferimento delle fantasie messianiche nell'attività terrena è cosa dell'età moderna. Gli ideologi e i militanti non solo hanno sognato, ma si sono anche battuti per il paradiso in terra, per la perfezione del genere umano in una società perfetta: per l'unità, l'armonia, la libertà e l'eterna felicità. E questo nell'incrollabile convinzione che il fine necessario inevitabile della *nostra* storia sia il paradiso, una terra promessa con o senza un Dio capace di fare delle promesse. Il fine della storia è anche l'abolizione della storia, la distruzione totale non solo dei Cananei, ma del mondo a noi familiare e probabilmente della maggior parte dei suoi abitanti — in modo che i sopravvissuti possano fare il loro ingresso nella nuova Gerusalemme. Anche se il messianismo sopravvive alla fede religiosa, occupa sempre la cornice apocalittica che la fede ha creato. Di qui la disposizione dei militanti messianici ad accettare di buon grado e addirittura a provocare i terrori che precedono la Fine dei Giorni; di qui la strana politica del *tanto peggio, tanto meglio*; di qui la volontà di peccare, di commettere ogni crimine in funzione della Fine.

È tuttavia un grave errore, un'errata interpretazione della storia, sostenere che la politica radicale sempre e necessariamente abbia assunto questa forma. Fra i critici del messianismo politico l'errore è comune e persino volontario: se considerano ogni sorta di aspirazione radicale alla stessa stregua, lo fanno perché vedono intorno a loro la minaccia del fanatismo apocalittico trasparire da ogni programma rivoluzionario. Talmon, per esempio, distingue due tipi di politica di opposizione. La prima è quella tradizionale, "il vecchio tipo di lotta sociale", la politica della disperazione non ispirata da nessun argomento coerente. Ne sono un esempio le *jacqueries* dei contadini. "Gli oppressi potevano aver nutrito un vago senso di ribellione, ma non avevano un programma, non avevano una loro visione delle cose o schemi alternativi. Queste rivolte erano ... esplosioni elementari." [20] Dubito che l'azione sociale sia mai del tutto "elementare" e priva di significati per chi la intraprende. Per Talmon, tuttavia, appena esiste un programma, una visione delle cose, uno schema alternativo, subentra subito anche il messianismo politico − come se la cultura occidentale non fornisse altri modelli per una politica propositiva. La rivolta tradizionale e il messianismo politico esauriscono il campo. Invece la nostra cultura è molto più ricca e il moderno radicalismo è vario, internamente contraddittorio, un groviglio di intuizioni e aspirazioni non omogenee.

La storia dell'Esodo, come ho già ripetuto più volte, è all'origine della politica messianica. John Canne, un quintomonarchista, fece nel 1657 un'osservazione fondamentale: "È opinione comune che nell'azione di Dio che trasse Israele dall'Egitto sia adombrato l'affrancamento della sua chiesa e del suo popolo da ogni tirannia e oppressione." [21] *Adombrato* è il termine esatto: le ombre sono più ampie della vita; l'Egitto equivale a tutto il mondo, la tirannia del Faraone rappresenta tutta la tirannia e l'oppressione del mondo, il futuro è identificato con la fine dei giorni. Senza le sue ombre, tuttavia, l'Esodo fornisce la principale alternativa al messianismo − come dimostra la disputa di Oliver Cromwell con la Quinta Monarchia. Infatti l'Esodo inizia con un male concreto e finisce (o non finisce) con un successo parziale. Senza dubbio dopo quel successo, sorgeranno altri problemi. È così lontana la fine della storia dell'Esodo dalla Fine dei Giorni che rimane abbastanza tempo perché nuove apostasie e nuova oppressione trasformino le speranze dell'Esodo in fantasie messianiche. Il messianismo ha le sue origini nel disappunto, in tutte quelle Canaan che si rivelano "quasi sterili". Eppure chi può dubitare che vivere a Canaan sia meglio che stare in Egitto? E che operare per un'altra liberazione circoscritta sia meglio che andare incontro agli eventi terrificanti degli Ultimi Giorni? In ogni movimento rivoluzionario c'è chi vuol essere in grado di dire con Cromwell: "A tanto siamo arrivati..." sapendo, in effetti, dove si è arrivati. Per lui la storia dell'Esodo ha dato origine alla politica dell'Esodo.

Paragonato con il messianismo politico, l'Esodo invita a una politica moderata e prudente. Paragonato con "il vecchio tipo di lotta sociale", o con la più comune passività e rassegnazione degli oppressi, invita a una politica rivoluzionaria. Ma questi termini sono fuorvianti. Come abbiamo visto la storia dell'Esodo è aperta a più interpretazioni, al punto che sia i socialdemocratici quanto (alcuni) bolscevichi vi si sono ritrovati. L'Esodo è una storia di discussioni e contese e così i commentatori interpretarono il testo; ma esiste sempre un'"altra interpretazione". Differente è lo spirito del messianismo politico. Si potrebbero calcolare senza fine i giorni che mancano agli Ultimi Giorni: esiste sempre un "altro calcolo"; ma una volta presa la decisione di forzare la Fine, non c'è più spazio per la discussione. La politica diventa assoluta, i nemici satanici, il compromesso impossibile. Qualche volta la politica dell'Esodo scivola verso l'assolutismo − come in una predica del sacerdote puritano Stephen Marshall alla Camera dei Comuni nel 1641: "Ognuno è benedetto o maledetto a seconda che unisca o meno la sua forza a quella degli altri e che dia o meno la sua assistenza al popolo di Dio che combatte contro i suoi nemici." [22] Le benedizioni e le maledizioni derivano, penso, dal Deuteronomio, ma Marshall sembra avvicinarsi al futuro motto bolscevico: "O con noi o contro di noi." Solo quando la battaglia è definitiva, la scelta può essere così ultimativa. Per chi invece si riconosce nella politica dell'Esodo, le scelte hanno in genere un altro carattere. Non esiste una battaglia definitiva, ma piuttosto una lunga serie di decisioni da prendere, di ricadute, di riforme. La guerra apocalittica fra "il popolo di Dio" e i suoi "nemici" nell'Esodo è fuori posto.

L'assolutezza è ostacolata efficacemente, penso, dal carattere stesso del popolo, pauroso, cocciuto, litigioso e, al tempo stesso, capace di stringere alleanze. Il popolo non può essere ucciso (non completamente, almeno) o messo da parte o trasformato miracolosamente. Deve essere condotto, castigato, difeso, educato e deve essergli data la possibilità di discutere − tutte attività che escludono e superano ogni semplice divisione in "amici" e "nemici". L'idea rivoluzionaria di "gente santa", naturalmente, crea dei nemici, ma la battaglia non è mai così melodrammatica come suggerisce la formula di Marshall. Il popolo è per il realismo, non solo perché fra il popolo ci sono cocciuti e scettici realisti che pongono domande come "sarà in grado Dio di approntare una tavola nel deserto?", tratta dai salmi, o "con che diritto uccidi tremila uomini in un giorno?", dal Midrash rabbinico. Il popolo è per il realismo anche perché il ritmo della marcia è regolato dai suoi sentimenti, perché bisogna affrontare le sue ribellioni, scegliere i capi al suo interno e spiegare la legge in sua presenza. Non è facile dividere il popolo in amici e nemici; la sua "dura cervice", è, da questo punto di vista, ammirevole. In alcuni rimase un po' di nostalgia dell'Egitto, scrisse Benjamin Franklin in *A Comparison of the Conduct of the Ancient Jews and of the Anti-Federalists*, "ma tutto sommato appare [dal testo] che gli Israeliti erano gelosi della libertà da poco conquistata". Erano solo un po' inesperti e, come gli Americani, "sobillati da uomini astuti ...". [23]

Ecco un tipico esempio di politica dell'Esodo, che però non dà la giusta idea della serietà della storia biblica, dato che Franklin non era disposto a paragonare gli antifederalisti a degli anticristo. Negli scritti dei teologi della liberazione contemporanei, la forza della storia è più evidente. Si sente nei loro libri e nei loro saggi una continua spinta verso il messianismo politico, ma essendo l'Esodo il riferimento più comune della politica di liberazione, e la terra promessa lo scopo abituale, non manca il senso della complessità del mondo terreno. La storia e la politica dell'Esodo fanno da argine all'escatologia cristiana. La liberazione non è un movimento del nostro stato dopo il peccato originale al regno messianico, ma dalla "schiavitù, lo sfruttamento, e l'alienazione d'Egitto" a una terra dove il popolo possa vivere "dignitosamente". Il movimento ha luogo nel tempo storico; è il duro e continuo lavoro degli uomini e delle donne. I migliori fra i teologi della liberazione mettono in guardia esplicitamente i loro lettori dall'"assolutizzazione della rivoluzione" e dall'idolatria delle "realizzazioni umane, inevitabilmente ambigue". [24] Questa è, ancora, politica dell'Esodo.

E così l'oppressione del Faraone, la liberazione, il Sinai e Canaan sono ancora tra noi, poderosi ricordi che modellano le nostre percezioni del mondo politico. La "porta della speranza" è ancora aperta; le cose non vanno come potrebbero – anche quando non vanno completamente all'opposto di come dovrebbero. Questo è un tema centrale nel pensiero occidentale, sempre presente anche se elaborato in molti modi differenti. Noi crediamo ancora, o almeno molti di noi credono, in quello che l'Esodo voleva insegnare, o in quello che si è comunemente pensato che volesse insegnare, sul significato e la possibilità della politica e sulle sue giuste forme:

– primo, che, ovunque si viva, probabilmente si vive in Egitto;
– secondo, che esiste un posto migliore, un mondo più attraente, una terra promessa;
– e terzo, che "la strada che porta alla terra promessa attraversa il deserto". [25] L'unico modo di raggiungerla è unirsi e marciare insieme.

Note

Introduzione: storia dell'Esodo

[1] Un resoconto drammatico di un sermone sull'Esodo occupa buona parte di JOSEPH R. WASHINGTON *Black Religion*, Beacon Press, Boston 1964, pp. 99-102.

[2] *Oliver Cromwell's Letters and Speeches* (a cura di Thomas Carlyle), London 1893, pt. 8, pp. 19, 34.

[3] ERNST BLOCH, *Atheism in Christianity: The Religion of the Exodus and the Kingdom*, Herder and Herder, New York 1972 [tr. it. *Ateismo nel cristianesimo*, Feltrinelli, Milano, 1971].

[4] LINCOLN STEFFENS, *Moses in Red: The Revolt of Israel as a Typical Revolution*, Dorrance, Philadelphia 1926.

[5] J. SEVERINO CROATTO, *Exodus: A Hermeneutics of Freedom*, Orbis, Maryknoll, New York, 1981, p. IV. Per una critica del Libro dell'Esodo come "testo privilegiato" della teologia della liberazione e un'ampia bibliografia di libri e articoli di teologi latino-americani, vedi J. ANDREW KIRK, *Liberation Theology: An Evangelical View from the Third World*, John Knox, Atlanta 1979, specialmente i capp. 8 e 14.

[6] ALBERT J. RABOTEAU, *Slave Religion: The "Invisible Institution" in the Antebellum South*, Oxford, New York, 1978, p. 319.

[7] Collot d'Herbois, citato in CRANE BRINTON, *The Jacobins: An Essay in the New History*, Macmillan, New York, 1930, p. 101

[8] Un panorama di questa letteratura si può trovare nel mio articolo *Exodus 32 and the Theory of Holy War: The History of a Citation* in "Harvard Theological Review", gennaio 1968, pp. 1-14. LEWIS FEUER, *Ideology and the Ideologists*, Harper Torchbooks, New York 1975, cap. 1, include una descrizione decisamente ostile del "mito rivoluzionario mosaico", con alcuni esempi storici della sua influenza.

[9] *God's New Israel: Religious Interpretations of American Destiny* (a cura di Conrad Cherry), Prentice Hall, Englewood Cliffs, 1971, p. 65.

[10] Vedi T. DUNBAR MOODIE, *The Rise of Afrikanerdom: Power, Apartheid,*

and the Afrikaner Civil Religion, University of California Press, Berkeley 1975, capp. 1 e 2.

[11] CROATTO, *Exodus*, cit., p. 18.

[12] Sulla concezione ebraica dell'interpretazione, vedi il saggio di GERSHOM SCHOLEM, "Revelation and Tradition as Religious Categories in Judaism", in *The Messianic Idea in Judaism*, Schocken, New York, 1971, pp. 282-303.

[13] NORTHROP FRYE, *The Great Code: The Bible and Literature*, Harcourt Brace Jovanovich, New York, 1982, p. XVII; il "codice" di Frye, tuttavia, suggerisce un'architettura troppo elaborata; ho imparato di più dalle più modeste "letture" di ROBERT ALTER, *The Art of Biblical Narrative*, Basic Books, New York, 1981.

[14] CROATTO, *Exodus*, cit., pp. 20-23

[15] *Mekilta De-Rabbi Ishmael*, Jewish Publication Society, Philadelphia, 1935, 1:141 (su Esodo 13:1-4).

[16] *The Ancient Near East*, in *An Antology of Texts and Pictures* (a cura di James B. Pritchard), Princeton, University Press, Princeton 1958, Vol. I, pp. 16-24.

[17] Su Roma come terra promessa, vedi *Eneide* 1:234-97.

[18] Vedi la discussione sui capitoli iniziali del Libro dell'Esodo in MICHAEL FISHBANE, *Text and Texture: Close Readings of Selected Biblical Texts*, Schocken, New York, 1979, cap. 4.

[19] WILLIAM IRWIN, *The Hebrews*, in H. e H.A. FRANKFORT et al., *The Intellectual Adventure of Ancient Man*, University of Chicago Press, Chicago 1946, pp. 318-9 [tr. it. *Gli Ebrei* in *La filosofia prima dei Greci*, Torino, 1963].

[20] Vedi il punto di vista di HERBERT N.SCHNEIDAU *Sacred Discontent: The Bible and Western Tradition*, University of Louisiana Press, Baton Rouge 1976, ma anche le riserve di ALTER, cit., pp. 24 sgg.

[21] MARTIN BUBER, *Moses: The Revelation and the Covenant*, Harper Torchbooks, New York 1958, p. 86 [tr.it. *Mosè*, Marietti, Casale Monferrato, 1983]. Ho seguito la numerazione talmudica delle mormorazioni nel trattato 'Arakin 15a, avallato da Rashi: vedi *Pentateuch with Rashi's Commentary*, Jerusalem, 5733 [1973], Num. 14:24. Per una numerazione alternativa, che richiederebbe una differente interpretazione vedi F.V. WINNETT, *The Mosaic Tradition*, University of Toronto Press, Toronto 1949, cap. 6.

[22] WILLIAM MORRIS, *Selected Writings and Designs* (a cura di Asa Briggs), Penguin, Harmodsworth 1962, p. 114.

[23] Vedi FRANK E. MANUEL, *Shapes of Philosophical History*, Stanford University Press, Stanford 1965, specialmente il cap. 1, e ERNEST LEE TUVESON, *Millennium and Utopia: A Study in the Background of the Idea of Progress*, University of California Press, Berkeley 1949.

[24] MANUEL, cit., pp. 2-4, 9.

[25] Vedi, per esempio, NORMAN COHN, *The Pursuit of the Millennium: Revolutionary Messianism in Medieval and Reformation Europe and Its Bearing on Modern Totalitarian Movements*, Harper Torchbooks, New York 1961 [tr.it. *I Fanatici dell'Apocalisse*, Edizione di Comunità, Milano, 1976].

[26] SAADYA GAON, *Book of Doctrines and Beliefs* in *Three Jewish Philosophers*, Jewish Publication Society, Philadelphia 1960, pp. 168-9.

[27] W. D. DAVIES, *The Territorial Dimension of Judaism*, University of

California Press, Berkeley 1982, p. 61. Sul ritorno della manna vedi Joseph Klausner, *The Messianic Idea in Israel: From Its Beginning to the Completion of the Mishnah*, Macmillan, New York 1955, pp. 343, 345.

1 - La casa di schiavitù: schiavi in Egitto

[1] *The Bacchae and Other Plays*, Penguin, Harmondsworth 1954, p. 123.

[2] *Ibid.*, p. 104

[3] Joseph Vogt, *Ancient Slavery and the Ideal of Man*, Basil Blackwell, Oxford 1974, p. 20

[4] Cfr. *Oxford English Dictionary*, alla voce "oppress".

[5] Il dialogo di Tucidide fra gli abitanti di Melos e gli Ateniesi (5. 130. 2) ne fornisce un tipico esempio: "...quando, sotto la pressione del nemico, le loro più evidenti speranze li abbandonarono". Sono riconoscente al mio collega Glen Bowersock per avermi aiutato a passare in rassegna gli usi del termine nel IV e V secolo.

[6] Cfr. *Oxford English Dictionary*, cit.

[7] Vedi la discussione in Nehama Leibowitz, *Studies in Shemot (Exodus)*, Jerusalem 1981, 1:39-48.

[8] M.M. Austin e P. Vidal-Naquet, *Economic and Social History of Ancient Greece*, University of California Press, Berkeley 1977, pp. 86-90 [tr.it. *Economia e società nella Grecia antica*, Boringhieri, Torino, 1982].

[9] Steffens, cit., p. 51.

[10] Gustavo Gutiérrez, *A Theology of Liberation: History, Politics and Salvation*, Orbis, Maryknoll, N. Y., 1973, p. 156 [tr.it. *Teologia della liberazione*, Queriniana, Brescia, 1979].

[11] *Midrash Rabbah: Exodus* (a cura di H. Freeman e Maurice Simon), Soncino, London 1983, 1:12, pp. 14-15.

[12] *The Code of Maimonides, Book Twelve: The Book of Acquisition*, Yale University Press, New Haven 1951, p. 247 (5.1.6); sugli schiavi pagani, p. 281 (5.9.8). Vedi la discussione di quest'ultimo passo in Isador Twersky, *Introduction to the Code of Maimonides (Mishnah Torah)*, Yale University Press, New Haven 1980, pp. 427-28.

[13] Junius Brutus [Philip de Mornay?], *Vindiciae contra Tyrannos: A Defence of Liberty Against Tyrants*, London 1689, p. 124.

[14] E. E. Urbach, *The Laws Regarding Slavery as a Source for the Social History of the Period of the Second Temple, the Mishnah and Talmud*, in "Papers of the Institute of Jewish Studies", I, 1964, pp. 39-40; vedi anche I. Mendelsohn, *Slavery in the Ancient New East: A Comparative Study of Slavery in Babilonia, Assyria, Syria, and Palestine from the Middle of the Third Millennium to the End of the First Millennium*, Oxford University Press, London 1949.

[15] *Life of Moses* in *Philo* [Filone l'Ebreo], Heinemann [Loeb Classical Library], London 1935, 6:295.

[16] Louis Ginzberg, *The Legends of the Jews*, in *From Joseph to the Exodus*, Jewish Publication Society, Philadelphia 1910, vol. 2, p. 247.

[17] Girolamo Savonarola, *Prediche sopra Esodo*, Belardetti, Roma, 1955-56, 2 voll.; Milton, *Of Reformation Tenure of Kings and Magistrates*,

Ready and Easy Way to Establish a Free Commonwealth; sermoni di George Duffield, Nicholas Street, Samuel Langdon, James Dana: vedi sotto per riferimenti particolareggiati.

[18] HANNAH ARENDT, *On Revolution,* Viking, New York 1963, specialmente il cap. 2. [tr.it. *Sulla rivoluzione,* Edizioni di Comunità, Milano, 1983].

[19] [JOHN LILBURNE], *England's Birth-Right Justified,* ristampato in *Tracts on Liberty in the Puritan Revolution: 1638-1647* (a cura di William Haller), Columbia University Press, New York 1933, 3:302.

[20] CROATTO, cit., p. 18 (corsivo nell'originale).

[21] SCHNEIDAU, cit., pp. 204-6; vedi MILLARD C. LIND, *Yahweh is a Warrior: The Theology of Warfare in Ancient Israel,* Herald Press, Scottdale, Pa., 1980, pp. 87-88 e passim, sulle ragioni politiche e religiose del rifiuto della guerra con i carri da parte degli Israeliti.

[22] Il significato è ormai da tempo acquisito: cfr. il passo del *Don Chisciotte* di Cervantes dove Sancio Panza si allontana dalla "splendida festa di Camacho" lasciandosi alle spalle "le pentole di carne d'Egitto, che in cuor suo si portava con sé" (2:21, ultimo paragrafo).

[23] BLOCH, cit., p. 31.

[24] SAVONAROLA, cit., 1:159 (6ª predica). Sono grato a Luisa Saffioti, che mi ha fornito una traduzione delle prediche di Savonarola.

[25] GINZBERG, cit., 2:251; vedi *Midrash Rabbah: Exodus,* cit. 1:18 (p. 25).

[26] JOSEPHUS FLAVIUS [Giuseppe Flavio], *Of the Antiquities of the Jews,* in *The Famous and Memorable Works of Josephus,* London 1620, p. 41 (2.9.1.) [tr.it. *La guerra giudaica,* Mondadori, Milano, 1982].

[27] SCHNEIDAU, cit., specialmente il cap. 3.

[28] *Passover Haggadah,* traduzione in inglese e commenti di Joseph Elias, Mesorah, Brooklyn 1981, p. 145.

[29] *Midrash Rabbah: Exodus,* cit., 16:4 (p. 210); ho citato la traduzione inglese in LEIBOWITZ, cit., p. 264.

[30] *Midrash Rabbah: Exodus,* cit., 1:8, p.10.

[31] SAVONAROLA, cit., 1:77 (3ª predica).

[32] *Midrash Rabbah: Exodus,* cit., 1:8, p. 10 sulla circoncisione; *Yalkut Shimoni* (un Midrash del XII secolo), in LEIBOWITZ, cit., p. 2, sugli anfiteatri.

[33] *Haggadah,* cit., pp. 68, 106.

[34] Stando a Maimonide, Dio riconobbe il richiamo sensuale della idolatria egiziana sugli Israeliti e vi acconsentì: la pratica del sacrificio rituale fu una concessione divina, "cosicché [il popolo] possa continuare le pratiche a cui è abituato...." e solo gradualmente sia portato alla pura venerazione di Dio. Cfr. MAIMONIDES, *The Guide of the Perplexed,* University of Chicago Press, Chicago 1963, 2:525-31 (3.32.69b-73a). Vedi la discussione in AMOS FUNKENSTEIN, "Maimonides: Political Theory and Realistic Messianism" in *Miscellanea Mediaevalia,* vol. 2: *Die Mächte des Guten and Bösen,* Walter de Gruyter, Berlin 1977, pp. 81-103; e, sulla politica del gradualismo, il cap. 2, "Le mormorazioni: schiavi nel deserto", pp. 41-2.

[35] Per Schneidau il passo "quei morbi funesti d'Egitto, *che tu ben conosci*" (Deuteronomio 7:15) significa che erano stati gli Israeliti a soffrire in Egitto (cit., p. 148 n.). Esiste una leggenda ebraica dello stesso tenore, vedi oltre cap. 3.

[36] Marshall, *A Sermon Before the Honorable House of Commons*, London 1641, p. 31; William Perkins, *The Works*, London 1616, 2:422.

[37] *The Ready and Easy Way to Establish a Free Commonwealth* (2ª ed., 1660) in *Complete Prose Works of John Milton* (a cura di Robert W. Ayers), Yale University Press, New Haven, 1980, vol. 7, p. 463.

2 - Le mormorazioni: schiavi nel deserto

[1] Anthony Hecht, "Exile", in *Millions of Strange Shadows*, Atheneum, New York, 1977, P. 45.

[2] Girolamo Savonarola, cit., 1:157-58 (6ª predica) e 1:189-90 (7ª predica); vedi la discussione della seconda di queste prediche in *The Letters of Machiavelli*, Capricorn, New York 1961, pp. 85-89 (lettera n. 3).

[3] Ho seguito qui la posizione di Leibowitz, cit., 1:39-46; vedi *Midrash Rabbah: Exodus*, 1:29, pp. 36-37 e *Pirke Aboth: The Ethics of the Talmud*, Schoken, New York 1962, 2:6, p. 46.

[4] Stanley Elkins, *Slavery: A Problem in American Institutional and Intellectual Life*, Grosset and Dunlap, New York 1963, cap. 3.

[5] *Midrash Rabbah: Exodus*, cit., 5:14, p. 93. Ho citato la traduzione inglese in Leibowitz, cit.

[6] *Pentateuch with Rashi's Commentary*, cit., Esodo 5:1.

[7] Vedi il commento di Ibn Ezra su Esodo 13:17, in Leibowitz, cit., pp. 235, 244.

[8] Savonarola, cit., 2:148 (17ª predica).

[9] Gad Hitchcock, citato in Nathan O. Hatch, *The Sacred Cause of Liberty: Repubblican Thought and the Millennium in Revolutionary New England*, Yale University Press, New Haven, 1977, p. 63.

[10] Croatto, cit., p. 17.

[11] Joseph B. Soleveitchik, *Reflection of the Rav*, adattato da Abraham R. Besdin, Gerusalemme, 1979, p. 190.

[12] Vedi la poesia di Joseph Albardani (Baghdad del X secolo), "The three Factions" in *The Penguin Book of Hebrew Verse* (a cura di T. Carmi), Penguin, Harmondsworth, 1981, pp. 259-60 e anche Ginzberg, cit., vol. 3: *Moses in the Wilderness*, Jewish Publication Society, Philadelphia, 1910, p. 15.

[13] Croatto, cit., p. 17.

[14] Friedrich Hegel, *The Spirit of Christianity*, in *On Christianity: Early Theological Writings*, Harper Torchbooks, New York, 1961, p. 190. [tr.it. *Lo spirito del cristianesimo e il suo destino*, Japadre, L'Aquila, 1980].

[15] Citato in Leibowitz, cit., p. 240.

[16] Robert Owen, *Works* (a cura di H. Goold), New York, 1851, 8:151.

[17] Nicholas Street, *The American States Acting over over the Part of the Children of Israel in the Wilderness....*, ristampato in *God's New Israel: Religious Interpretations of American Destiny*, cit., p. 69.

[18] John Sturdy, *The Cambridge Bible Commentary: Numbers*, Cambridge University Press, Cambridge, 1976, p. 84.

[19] Vedi la discussione in Leibowitz, *Studies in Bamidbar (Numbers)*, Gerusalemme, 1980, pp. 94-103; *Pentateuch with Rashi's Commentary*, Num 11:5; Ginzberg, cit., 3:246.

[20] J. - Jacques Rousseau, *The Government of Poland*, Bobbs-Merrill, Indianapolis, 1972, p. 6 [tr.it. in *Scritti Politici*, Utet, Torino, 1970].

[21] Maimonides, cit., 1:526-28 (3.32.70a e b).

[22] Leibowitz, cit., p. 555.

[23] Karl Marx, *Class Struggles in France*, in *Selected Works*, Mosca, 1951, 1:193 [tr.it. *Le lotte di classe in Francia dal 1848 al 1850*, Editori Riuniti, Roma, 1968].

[24] Judah Halevi, *Kuzari* (a cura di Isaak Heinemann) in *Three Jewish Philosophers*, Jewish Publication Society, Philadelphia, 1960, p. 48 (1:97).

[25] *Pentateuch with Rashi's Commentary*, cit., Esodo 32:6.

[26] Ronald E. Clements, *The Cambridge Bible Commentary: Exodus*, Cambridge University Press, Cambridge, 1972, pp. 205-6. Cfr. U. Cassuto, *A Commentary on the Book of Exodus*, The Magnes Press, Gerusalemme, 1967, pp. 408-409, che difende l'integrità del testo.

[27] *Life of Moses* in *Philo*, cit., 6:529; John Lightfoot, *An Handful of Gleanings out of the Book of Exodus*, London, 1643, p. 35; Steffens, cit., p. 103.

[28] Leivy Smoler And Moshe Aberbach, *The Golden Calf Episode in Postbiblical Literature*, in "Hebrew Union College Annual 39", 1968, pp. 91-116.

[29] *Midrash Rabbah: Exodus*, cit. 43:7 (pp. 502-3). Ho citato la traduzione inglese in Leibowitz, cit., pp. 570-71.

[30] Citato in Albert J. Raboteau, cit., pp. 319-20.

[31] Gutierrez, cit., pp. 156 - 157.

[32] Vedi, per esempio, Samuel Faircloth, *The Troublers Troubled*, London, 1641, specialmente pp. 22 sgg. e Francis Cheynell, *Sion's Momento and God's Alarum*, London, 1643, p. 19: "è tempo di purghe....".

[33] Machiavelli, *The Discourses*, Penguin, Harmondsworth, 1970, p. 486 (3:30). Machiavelli continua: "Che di ciò fosse bisogno era chiaramente riconosciuto dal frate Girolamo Savonarola".

[34] Citato da *Tanna debei Eliyahu* in Leibowitz, cit., p. 621.

[35] Ramban [Nachmanides], *Commentary on the Torah: Exodus*, Shilo, New York, 1973, pp. 567-69 (su Esodo 32:27); ho citato la traduzione in Leibowitz, cit., p. 623.

[36] Clements, cit., pp. 208-9.

[37] Josephus Flavius, cit., p. 60 (2:5:7).

[38] *The Political writings of St. Augustine* (a cura di Henry Paolucci), Henry Regnery, Chicago, 1962, p. 195 (lettera 93).

[39] *Summa Theologica*, 2a, 2ae, Q. 64, art. 3 e 4.

[40] Grotius [Ugo Grozio], *The Law of War and Peace*, Bobbs-Merrill, Indianapolis, s.d., p. 504 (2:22.39).

[41] Owen, cit., 8:156.

[42] Calvin, *Sermons on the Fifth Book of Moses*, London, 1583, p. 1203.

[43] John Knox, *Works* (a cura di D. Laing), Edinburgh, 1846-8, 3:311-12.

[44] William Bridge, *A Sermon Preached Before the House of Commons*, London, 1643, p. 18.

[45] *Oliver Cromwell's Letters and Speeches*, cit., pt. 8, p. 34.

[46] Faircloth, cit., pp. 24-25.

[47] STEFFENS, cit., p. 108. Devo osservare che Croatto difende la violenza rivoluzionaria portando a esempio non già le purghe di Mosè in Esodo 32, ma la violenza di Dio contro gli Egiziani – le piaghe e l'annegamento nel mar Rosso: "l'azione liberatrice è necessariamente violenta .... ed è preparata da metodi persuasivi non troppo gentili ...." (CROATTO, cit., pp. 29-30). Dal canto suo, Steffens definisce le ultime piaghe "terrore rosso di Dio" (p. 83). Ma sono le purghe degli Israeliti, non l'uccisione dei primogeniti egiziani, che in realtà lo interessano. Le piaghe sono più importanti per Croatto, che appare come il più radicale fra i teologi della liberazione. Vedi il rifiuto della violenza di GUTIERREZ, cit., p. 250, n. 124.

[48] BUBER, cit., p. 35. Cfr. LENIN, *What Is to Be Done?* in *Lenin on Politics and Revolution* (a cura di James E. Connor), Pegasus, New York, 1968, p. 40 [tr.it. *Che fare?*, Editori Riuniti, Roma, 1974].

[49] RAMBAN [Nachmanides], cit., p. 575 (su Esodo 33:7).

[50] STEFFENS, cit., p. 133.

[51] *Life of Moses* in *Philo*, cit., 6:457; MACHIAVELLI, *The Prince*, cap. 6; ROUSSEAU, cit., p. 6.

[52] Vedi DANIEL JEREMY SILVER, *Images of Moses*, Basic Books, New York, 1982, cap. 6.

[53] GINZBERG, cit., 3:242.

3 - *L'alleanza: un popolo libero*

[1] DELBERT R. HILLERS, *Covenant: The History of a Biblical Idea*, Johns Hopkins Press, Baltimore, 1969, cap. 2. GEORGE E. MENDENHALL, *Law and Covenant in Israel and the Ancient Near East*, The Biblical Colloquium, Pittsburgh, 1955; JOHN BRIGHT, *Covenant and Promise: The Profetic Understanding of the Future in Pre-Exilic Israel*, Westminster Press, Philadelphia, 1976.

[2] Vedi *Passover Haggadah*, cit., pp. 107, 124; *Midrash Rabbah: Exodus*, cit., 14:3 (p. 157); GEORGE FOOT MOORE, *Judaism in the First Centuries of the Christian Era: The Age of the Tannaim* Harvard University Press, Cambridge, Mass., 1962, 2:362-63.

[3] SPINOZA, *Theologico-Political Treatise* in *The Chief Works*, Dover, New York, 1951, 1:218-9 [tr.it. *Trattato teologico politico*, Einaudi, Torino, 1981].

[4] *Midrash Rabbah: Exodus*, cit., 28:2 (p. 332); il corsivo è del traduttore.

[5] GINZBERG, cit., vol. 3, *Moses in the Wilderness*, pp. 80 sgg.

[6] *Mekilta De-Rabbi Ishmael*, Jewish Publication Society, Philadelphia, 1935, 2:229-30 (su Esodo 20:2).

[7] Simon Ashe, citato in JOHN F. WILSON, *Pulpit in Parliament: Puritanism During the English Civil Wars, 1640-1648*, Princeton University Press, Princeton, 1969, p. 174.

[8] Seguo qui il discorso di HILLERS, cit., specialmente il cap. 5.

[9] SAADYA GAON, cit., p. 177.

[10] WILSON, cit., p. 199. Per la descrizione di una simile distinzione nel pensiero ebraico vedi il saggio di DAVID HARTMAN, "Sinai and Messianism" in *Joy and Responsibility: Israel, Modernity, and the Renewal of Judaism*, Ben Zvi-Posner, Gerusalemme, 1978, pp. 232-58.

[11] *Mekilta De-Rabbi Ishmael*, cit., 2:207 (su Esodo 19:3-9).

[12] GINZBERG, cit., 3:89.

[13] La migliore discussione è in PERRY MILLER, *The New England Mind: The Seventeenth Century*, Harvard University Press, Cambridge, Mass., 1954, cap. 13 [tr.it. *Lo Spirito della Nuova Inghilterra: il Seicento*, il Mulino, Bologna, 1982].

[14] Vedi la discussione sul "libero arbitrio" in SAADYA GAON, cit., pp. 118-21. Ma una famosa leggenda midrascica limita il concetto di libertà: "Non fu per libera scelta che Israele si dichiarò pronto ad accettare la Torah, perché quando l'intero popolo... si avvicinò al Sinai, Dio sollevò la montagna e tenendola sulla testa della gente ... disse loro: 'Se voi accettate la Torah, è bene, altrimenti troverete la vostra tomba sotto questa montagna.' GINZBERG, cit., 3:92; cfr. *Pentateuch with Rashi's Commentary* su Esodo 19:17. Questa leggenda, almeno inizialmente, sembrerebbe un esempio di ironia popolare, ma la questione che pone non è semplice: com'è possibile *non* temere un Dio onnipotente?

[15] SAADYA GAON, cit., p. 116.

[16] Citato in MILLER, p. 426.

[17] La letteratura è immensa: per una breve esposizione vedi WALTER ULLMANN, *The Individual and Society in the Middle Ages*, Johns Hopkins Press, Baltimore, 1966, pp. 150-1; per un panorama generale vedi FRANCIS OAKLEY, *Legitimation By Consent: The Question of the Medieval Roots* in "Viator: Medieval and Renaissance Studies", 14 (1983), pp. 303-35.

[18] Sota 37b, citato in GORDON FREEMAN, "The Rabbinic Understanding of Covenant as a Political Idea" in *Kinship and Consent: The Jewish Political Tradition and Its Contemporary Uses* (a cura di Daniel J. Elazar), Turtledove Publishing, Ramat Gan, Israele, 1981, p. 68.

[19] *The Federal and State Constitutions* (a cura di F. N. Thorpe), Government Printing Office, Washington D.C., 1907, 3:1888-89.

[20] HILLERS, cit., pp. 78-79.

[21] *The Passover Haggadah*, cit., p. 49 (corsivo nell'originale).

[22] Citato in LEIBOWITZ, *Studies in Devarim (Deuteronomy)*, Gerusalemme, 1980, p. 298.

[23] *Ibid.*, pp. 299-300.

[24] *Haggadah*, cit., p. 147.

[25] HILLERS, cit., pp. 80-81. C'è una tensione nell'ebraismo fra una semplice concezione ereditaria e una complessa concezione contrattuale degli obblighi religiosi. Questo è uno dei temi principali di *Kinship and Consent*: vedi il primo saggio, DANIEL J. ELAZAR, "Covenant as the Basis of the Jewish Political Tradition", pp. 41-42.

[26] J. T. MCNEILL, *The History and Character of Calvinism*, Oxford University Press, New York, 1954, p. 142.

[27] CROATTO, cit., p. 23 (corsivo nell'originale).

[28] GUTIERREZ, cit., p. 295.

[29] HILLERS, cit., pp. 125 sgg. Vedi anche, sui profeti e l'alleanza, BRIGHT, cit., specialmente il cap. 3.

[30] Estratto da *Puritanism and Liberty: Being the Army Debates (1647-9) ... with Supplementary Documents* (a cura di A.S.P. Woodhouse), J.M. Dent, London, 1938, p. 208.

[31] JUNIUS BRUTUS [Philip de Mornay?], cit., p. 12.

[32] *Ibid.*, pp. 26-27.

[33] CHRISTOPHER GOODMAN, *How Superior Powers Ought to Be Obeyed* (1558), Facsimile Text Society, 1931, pp. 146, 185.

[34] GUTIERREZ, cit., p. 302.

4 - *La terra promessa*

[1] Vedi KARL WITTFOGEL, *Oriental Despotism: A Comparative Study of Total Power*, Yale University Press, New Haven, 1957 [tr.it. *Dispotismo orientale*, Sugarco, Milano, 1980] che ha molto da dire sull'Egitto faraonico, ma trascura il legame biblico fra irrigazione e oppressione; Steffens ne parla a p. 131.

[2] LENIN, cit., pp. 44-45.

[3] *Pascal's Pensées*, introduzione di T.S. Eliot, Dutton, New York, 1958, n. 570, p. 157 [tr.it. *Pensieri*, Einaudi, Torino, 1970].

[4] Abiezer Coppe citato in CHRISTOPHER HILL, *The World Turned Upside Down: Radical Ideas During the English Revolution*, Viking Press, New York, 1972, pp. 273-74.

[5] Vedi per esempio, SAMUEL LANGDON, "The Republic of the Israelites an Example to the American State" in *God's New Israel: Religious Interpretations of American Destiny*, cit., pp. 99, 105.

[6] GUTIERREZ, cit., pp. 165-67.

[7] W. D. DAVIES, *The Territorial Dimension of Judaism*, University of California Press, Berkeley, 1982, cap. 1.

[8] Vedi l'ottima discussione dell'Esodo in LEO BAECK, *This People Israel: The Meaning of Jewish Existence*, Union of American Hebrew Congregations, New York, 1964, cap. 1.

[9] GINZBERG, cit., vol. 3, *Moses in the Wilderness*, p. 87.

[10] Vedi la discussione in LEIBOWITZ, *Studies in Bamidbar (Numbers)*, cit., pp. 121-28

[11] GINZBERG, cit., 3:290-91; vedi la discussione di questo passo in ROBERT J. MILCH, *Korah's Rebellion* in "Commentary", 69, febbraio 1980, pp. 52-56.

[12] *Midrash Rabbah: Numbers*, Soncino Press, London, 1983, 18:6 (vol. 2, pp. 714-15).

[13] JOHN MILTON, *Areopagitica* in *Complete Prose works of John Milton* (a cura di Ernest Sirluck), vol. 3, cit., pp. 555-56 [tr.it. *Aeropagitica* in *Prosatori inglesi del Seicento*, Guida, Napoli, 1963].

[14] *Oliver Cromwell's Letters and Speeches*, cit., pt. 8, p. 355.

[15] DAVID BREWER, *American Citizenship*, Scribner's, New York, 1902, p. 79.

[16] THOMAS MANN, *Joseph the Provider* in *Joseph and His Brothers*, Knopf, New York, 1958, p. 980 [tr.it. *Giuseppe il nutritore* in *Giuseppe e i suoi fratelli*, Mondadori, Milano, 1982].

[17] BLOCH, cit., p. 95.

[18] *Ibid.*, p. 82.

[19] Questo è, almeno in parte, quello che intendeva Eduard Bernstein quando scrisse che per lui il movimento verso il socialismo era tutto e "quello che in genere è chiamato scopo finale", niente. EDUARD BERNSTEIN, *Evolutionary Socialism: A Criticism and Affirmation*, Schocken, New York, 1961, p. XVII.

[20] Vedi JOSEPH KLAUSNER, *The Messianic Idea in Israel: From Its Beginning to the Completion of the Mishnah*, Macmillan, New York, 1955, pp. 19-21, 28-32.

[21] FRYE, cit., p. 171.

[22] È importante distinguere, come fa Klausner, l'età messianica del mondo futuro: la prima ha una durata limitata (si può discutere sulla sua durata), mentre il secondo dura per sempre. Penso ancora che sia corretto dire che l'età messianica, nelle sue descrizioni usuali, non avrà una *storia*; non ci sarà nessun bisogno di registrare o distinguere gli eventi. Cfr. KLAUSNER, cit., pt. 3, cap. 2.

[23] Sanhedrin 98a, citato in GERSHOM SCHOLEM, "Toward an Understanding of the Messianic Idea in Judaism" in *Messianic Idea in Judaism*, p. 13.

[24] *Ibid.*, p. 16.

[25] Citato in KLAUSNER, pp. 340-41.

[26] SCHOLEM, cit., pp. 1-36.

[27] Berakhot 34b citato in KLAUSNER, p. 404; SCHOLEM, cit., p. 18.

[28] Citato in MARC SAPERSTEIN, *Decoding the Rabbis: A Thirteenth Century Commentary on the Haggadah*, Harvard University Press, Cambridge, Mass., 1980, p. 105.

[29] *The Code of Maimonides, Book Fourteen: The Book of Judges*, Yale University Press, New Haven, 1949, pp. 240-242 (5.12.1,4). Ho citato la traduzione in SCHOLEM, cit., p. 29. Vedi FUNKENSTEIN, cit., p. 97 sgg., che sostiene che "l'età messianica di Maimonide è in tutti i suoi aspetti una parte della storia, il capitolo conclusivo della lunga storia della monoteizzazione del mondo" (p. 101): la storia, che inizia con l'Esodo, di un processo graduale.

[30] SAPERSTEIN, cit., p. 111.

[31] Vedi GINZBERG, cit., 3:466 sgg. e "The Death of Moses", una raccolta di poesie anonime dall'VIII all'XI sec. in *The Penguin Book of Hebrew Verse*, cit., pp. 266-74.

[32] DANIEL JEREMY SILVER, *Images of Moses*, Basic Books, New York, 1982, p. 20 e cap. 1 in generale.

[33] *Pentateuch with Rashi's Commentary*, cit., su Esodo 18:21.

[34] Si nota ancor meglio questa tensione nella ribellione di Datan e Abiram, capi della tribù di Reuben (il primogenito di Giacobbe), Numeri 16: 1-33.

[35] Vedi, per esempio, JOHN ELIOT, *The Christian Commonwealth, or The Civil Policy of the Rising Kingdom of Jesus Christ*, London, 1659, dedicato all'esposizione di Esodo 18.

[36] SPINOZA, cit., cap. 17.

[37] TOMAS PAINE, *Common Sense* (a cura di Isaac Kramnick), Penguin, Harmondsworth, 1982, p. 76.

[38] Citato in NATHAN O. HATCH, *The Sacred Cause of Liberty: Republican*

Thought and the Millennium in Revolutionary New England, Yale University Press, New Haven, 1977, p. 159).

[39] LANGDON, cit., pp. 93 sgg. Cfr. un precedente sermone di Langdon davanti al Provincial Congress of Massachusetts nel 1775: "Chi rivendica il diritto divino dei re consideri che l'unica forma di governo che a diritto può considerarsi stabilita da Dio era così lontana dall'includere l'idea di un re, che fu un grave crimine per Israele chiedere di essere, su questo, uguale alle altre nazioni ...." Citato da JOSEPH GAER e BEN SIEGEL, *The Puritan Heritage: America's Roots in the Bible*, Mentor, New York, 1964, pp. 50-51.

[40] Questo è uno degli argomenti principali del saggio di SCHOLEM, "Toward an Understanding", cit.

Conclusione: la politica dell'Esodo

[1] FRANK e FRITZIE MANUEL, *Utopian Thought in the Western World*, Harvard University Press, Cambridge, Mass., 1979, p. 687.

[2] JACOB L. TALMON, *The Origins of Totalitarian Democracy*, Praeger, New York, 1960, pp. 1-13 [tr.it. *Le origini della democrazia totalitaria*, il Mulino, Bologna, 1977].

[3] RAMSEY MACDONALD, *The Socialist Movement*, Holt, New York, 1911, p. 246.

[4] Citato in AMOS ELON, *Herzl*, Holt, Rinehart and Winston, New York, 1975, p. 16 [tr.it. *La rivolta degli Ebrei*, Rizzoli, Milano, 1979].

[5] *Selected Essays of Ahad Ha-Am*, Atheneum, New York, 1970, pp. 320, 323.

[6] "Let Us Not Betray Zionism" in *Unease in Zion* (a cura di Ehud Ben Ezer), Quadrangle, New York, 1974, p. 329.

[7] Megillah 17b, citato in URIEL TAL, *The Land and the State of Israel in Isreaeli Religious Life*, "Proceedings of the Rabbinical Assembly", 38 (1976), p. 9.

[8] DAVID BIALE, *Gershom Scholem: Kabbalah and Counter-History*, Harvard University Press, Cambridge, Mass., 1982, p. 101.

[9] GEULA COHEN, *Woman of Violence*, Holt, Rinehart and Winston, New York, 1966, pp. 269-70.

[10] Rabbino Yehudah Amital, citato in TAL, p. 10.

[11] "The Arab question as a Jewish Question", in *Unease in Zion*, cit., p. 313; vedi anche DAVID HARTMAN, *Sinai and Messianism* in *Joy and Responsibility: Israel, Modernity, and the Renewal of Judaism*, Ben Zvi-Posner Ltd., Gerusalemme, 1978, pp. 232-58.

[12] Rabbino O. Hadya, citato in TAL, p. 10

[13] Citato in BIALE, cit., p. 100.

[14] SCHOLEM, "Zionism-Dialectic of Continuity and Rebellion" in *Unease in Zion*, cit., pp. 269-70.

[15] BIALE, cit., p. 104.

[16] Vedi DAVIES, cit., pp. 15-16 e DAN JACOBSON, *The Story of the Stories: The Chosen People and Its God*, Harper and Row, New York, 1982, pp. 31 sgg.

[17] Yadayim 4.4 e Berakhot 28a, citati in SIMON, p. 314.

[18] *The Code of Maimonides, Book fourteen: The Book of Judges*, cit., p. 217 (5.5.4).

[19] Vedi, per esempio, TALMON, cit., e *Political Messianism: The Romantic Phase*, Praeger, New York, 1960; NORMAN COHN, cit.; GUENTER LEWY, *Religion and Revolution*, Oxford University Press, New York, 1974; e LEWIS FEUER, *Ideology and the Ideologists*, Harper Torchbooks, New York, 1975.

[20] TALMON, *Political Messianism*, cit., p. 26.

[21] JOHN CANNE, *The Time of the End*, London, 1657, p. 212.

[22] MARSHALL, *Meroz Cursed*, London, 1641, p. 9.

[23] *The Works of Benjamin Franklin* (a cura di John Bigelow), Putnam's, New York, 1904, 11:383, 386.

[24] GUTIERREZ, cit., pp. 238, 294; vedi anche la critica del "messianismo politico-religioso" a p. 236.

[25] DAVIES, cit., p. 60.

Indice

Stampa Sipiel - Milano, ottobre 1986